# 人のつながりと世界の行方

## コロナ後の縁を考える

山田孝子 編著

英明企画編集

刊行にあたって

# 「つながり」こそ社会を支える根幹

近年、家族だけを大切にし、親類づきあいや近所づきあいもあまりせず、「町内会の負担は煩わしく、そんな組織はいらない」、「行政にすべてを任せればいい」という、コミュニティとの関係をほとんど持たずに暮らす人が多くなっています。また、友人もあまりつくらない、結婚しない、家族をつくろうとしないというような、「ぼっち」や「おひとりさま」を好み、「つながり」を「持とうとしない」人が増えているだけではなく、これについての肯定的な意見も多く耳にします。しかも若者を中心に、友人がいる人のなかでも、SNSやインターネット上でのやりとりなどのバーチャルな「つながり」はあるものの、現実に会って話をしたり、空間と時間を共有してともに何かをしたりすることは少ない人が多くなっているとも聞きます。そうした傾向の一方で、誰にも看取られず孤独死し、発見が遅れてしまう人の数は年々増加傾向にあるといわれています。

では、家族、親族、地域コミュニティなどの人間社会が育んできた「つながり」は、現代においてはもはや必要がなくなったといえるのでしょうか。地域の暮らしに必要なゴミの処理から防犯、防災、雪国であれば冬季間の除雪、子供たちの安全の見守りなど、すべてを行政機関に任せきりにして、バーチャルな友人との「つながり」だけで現代の生活ができるものでしょうか。近年、各地で地震や台風、洪水などの災害が頻繁に起こるようになっていますが、そんな時には住民同士で励ましあい、できることを協力しあうなど、コミュニティの「つながり」は重要な役割を果たしています。やはり互いに協力しあう関係性は、地域住民の間には欠かせないものです。

2020年は新型コロナウイルス（SARS-CoV-2）を原因とする感染症（COVID-19）のパンデミックで翻弄される年となっており、世界各地で、国民、市民に対して「密な」接触を避けるという、人と人との「つながり」を否定するような対策が強制あるいは要請されてきています。しかし、このコロナ禍のなかで、インターネットを駆使した「連帯」の表明にみられるように、時間と空間の共有

にかわる方法をみつけ、共感を醸成してともに助けあおうという、家族を超えるコミュニティ的な「つながり」が新たに生み出されています。

ＡＩ時代が到来し、また感染症の蔓延によって身体の接触が制限されたとしても、社会の根幹である「つながり」の重要性は変わらないといえるでしょう。未来社会においても、互いに次世代をも見守りあう家族を超える「つながり」は、互いの信頼を育み、安心できる暮らしへの出発点になるといえます。本書をとおして、人類学的・比較文化学的視点から霊長類社会や世界各地における「つながり」の諸相をみることが、安全・安心で他者を信頼でき、ともに豊かに暮らせる社会には多様な「つながり」こそが必要であることを読み取る手がかりになるよう願っています。

編者 **山田 孝子**

人のつながりと世界の行方――コロナ後の縁を考える　目次



次ページに続く

# 霊長類学から考える「つながり」と人間社会

## 共鳴力と共感力が築いた人類の歴史

山極 寿一

現代は、未来をうまく見通すことができない「不確かな時代」だと言われる。その不確かさは、人間や社会というものが、近年ますますよくわからなくなっていることに由来するものだ。遺伝学に基づくゲノム編集などの科学技術の発展は、「人間とは何か、生命とは何か」という謎を解明するどころか、その存在をさらに曖昧にしてしまった。われわれ人間はどこに向かうのか、今後の社会はどうなるのかについて、見通しを与えてはくれない。人間という存在、社会という存在は、科学技術や学問の進展に反比例して不確かなものになっている。

生命科学的な視点以外で、人間という存在について考え、語ることは、長らく哲学や歴史学、文学の仕事とされてきた。しかし、いわゆる「人間(ホモ・サピエンス)」の歴史を振り返ってその存在について考えるだけでは、もはや先の見通しは立たないのではないか。つまり、「人間」の時代よりもさらに歴史を遡って「われわれがどこから来たのか」を考えることが、「われわれがどこに向かっているのか」をとらえることにつながるのではないだろうか。

社会についても同様のことが言える。社会を築くのは人間だけではなく、動物にも社会がある。その動物の社会と人間の社会とはどこがどう違い、どんな特徴があるのか。これについて考えることで、人間の社会の未来がみえてくるのではないだろうか。本稿では、人間の「つながり」と社会について歴史の縮尺を拡げて観察し、霊長類との比較のなかから考えてみたい。

## *1*「つながり」こそ人間の強み——人類史からの示唆

現在、地球上には約450種の霊長類が存在するとされており❶、人間もその1種である(図1)。系統として人間に近いのはチンパンジー、ゴリラ、オランウータンで、これらは分類学上では人間とともに「Hominidae = ヒト科」に含まれ、一般に「類人猿」と呼ばれる❷。類人猿は、五感——視覚、聴覚、嗅覚、味覚、触覚の感じ方が、人間とよく似ていると考えられている。

---

❶ 霊長類研究の進展によって分類の見直しが行われ、種数は増え続けている[日本モンキーセンター[編] 2018:22–23]。

❷ 人間のゲノムをゴリラ、オランウータン、チンパンジーと比較すると、チンパンジーとは1.37%、ゴリラとは1.75%、オランウータンとは3%以下しか違わない。しかしサルの系統とゴリラとは6%以上異なる[山極・小川 2019:21–22]。

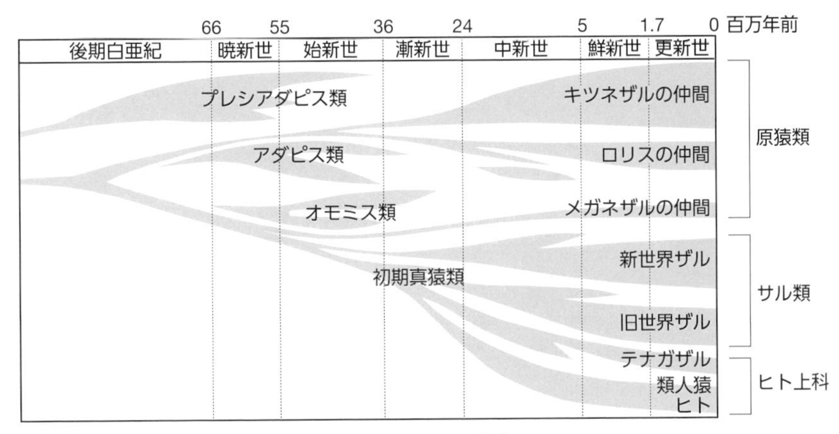


**▲図1　進化の系統図**

谷が深い部分は系統が遠いことを示す。原図はMartin [1990]、山極 [2020a] より作成

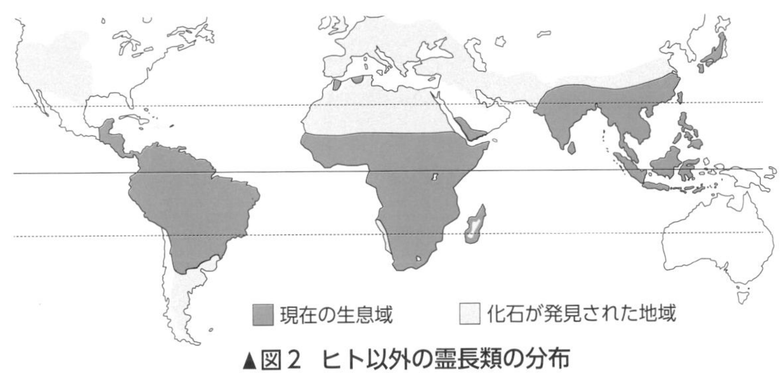


**▲図2　ヒト以外の霊長類の分布**

現在の生息域より化石が発見された地域のほうが広い。熱帯起源の霊長類が生息域を狭めていることから、かつての地球環境は現在より温暖だったと推測される。ボイド／シルク［2011］より作成

## アフリカの熱帯雨林に起源を持つ霊長類

霊長類はその分布域の調査結果から、熱帯起源だと推定されている（図2）。約5,500万年前、地球に初めて登場した初期霊長類❸は、平均気温が高かった中緯度地帯に暮らしていた。ところが、約1,500万年前から、だんだんと地球の気温が下がり始めた。さらに、人類が登場した700万年前❹以降には、気候の変動が

❸プレシアダピス類（図1参照）を最古の霊長類とする説がかつてはあったが、近年では、近い系統だが霊長類ではないとする考え方が主流となっている［日本モンキーセンター［編］2018:18］。

❹現在知られる最古の人類の化石とされているのが、チャドで発掘された700万年前のサヘラントロプス・チャデンシスのものである［山極 2008：144］。

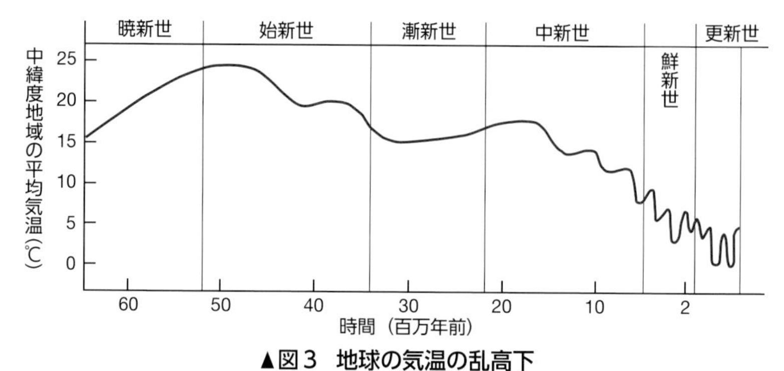


**▲図３　地球の気温の乱高下**

人間の祖先が登場した中新世後期から気温が寒冷化し変動し始めた。ルーウィン［1993］から作成

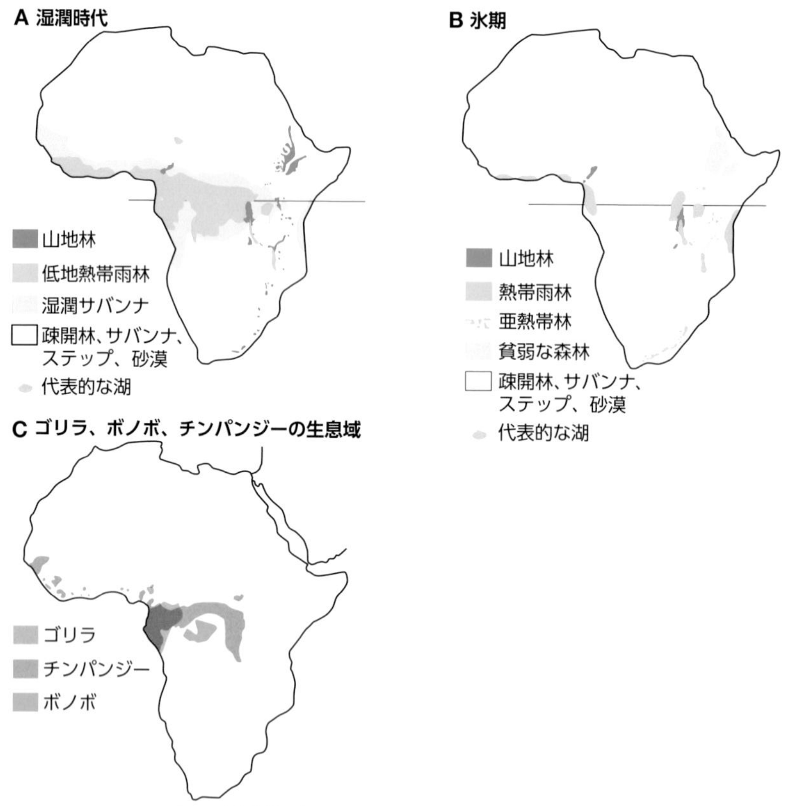


**▲図４　地質年代と気候変動および類人猿の生息域**

図４Ａは湿潤時代の森林を、図４Ｂは氷期（もっとも寒く乾燥した時代）の森林を示す。図４Ｃは現在の類人猿の生息域。Ａ、Ｂは山極ほか［1988］、Ｃは山極［1996］と竹ノ下［2015］をもとに作成

小刻みに激しく起こるようになった（図3）。この気温の乱高下は、地球環境が変わったことに由来すると考えられている［山極 2008：146］。

人類と類人猿はアフリカ起源であることから❺、その歴史を考えるうえでは、アフリカ大陸の環境変動が重要である。赤道付近のアフリカは熱帯で、年中高木が繁り緑が絶えない高温・湿潤の地域である。ところが、地球環境が変動して気温が下がると、空気中の水分が氷になるため乾燥する。すると生存のために水を必要とする植物は、その数を減らしてしまうことになる（図4A、4B）。

現在ゴリラとチンパンジーが生息する分布域（図4C）は、湿潤時代の熱帯雨林の範囲（図4A）内にきれいに収まる。つまり、人間にもっとも近い存在であるゴリラやチンパンジーは熱帯雨林にしかおらず、そこから出たことがない。しかし、人間はいつのころからか熱帯雨林を出て、アラスカなどの寒い地域にまで行って暮らすようになった。これはなぜなのか。いったい何が人間をそこまで駆り立てたのか。そして熱帯雨林を出られた理由は何なのか。そこに人間と社会の秘密が眠っている。

## 消化能力と出産能力がサルより劣る人間と類人猿

2,000万年前から現代まで、人間および類人猿（ヒト上科）と旧世界ザル（オナガザル上科）❻との相対的種数の変遷をみると、類人猿はその種数を大きく減らし、旧世界ザルの種数が圧倒的に増えている（図5）。現在では、旧世界ザルがアフリカでは80種類以上いるのに対して、類人猿はゴリラとチンパンジーとボノボを含む5種類しかいない。つまり、人間と類人猿は旧世界ザルに負けて個体数を減らし、種類を減らした歴史があると考えられる。

類人猿がここまで数を減らした理由は、消化能力と出産能力がサルより劣っていたためだと推定されている。類人猿も人間も、サルに比べて胃腸の働きが弱く、食べやすいものしか食べられない。熱帯雨林においてもっとも食べやすいものは、熟したフルーツである。植物は動物に種子を広く拡散してもらうた

---

❺ サヘラントロプス・チャデンシス以外にも、ケニアで600万年前のオローリン・ツゲネンシスが、エチオピアで580万年前のアルディピテクス・カダバが発見されていることから、アフリカ起源と考える説が有力である［山極 2008：144］。

❻ グエノンやヒヒ、マカク、コロブスの仲間が含まれる。ニホンザルやカニクイザルも旧世界ザルの1種である。

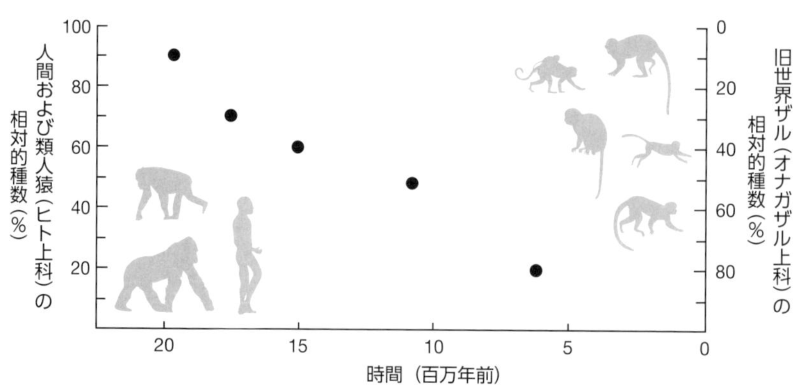


▲図5　アフリカにおけるヒト上科とオナガザル上科の相対的種数の変化

右端が現代、左端が2000万年前を示す。Fleagle [1999]、Sellers [2000] から作成

めに、種子としての準備が整うまでは毒を仕込んでいるものが多い[7]。準備が整えば実の色を変えて匂いを発し、その存在を動物に知らせる。動物はそれを食べ、もともと植物があった場所から離れたところで糞とともに種子を出す。これが種子散布の仕組みである。植物と動物は、こうして共進化をしている。

ところがサルは、まだ青いうちのフルーツも、硬い葉でも食べられる。胃腸にバクテリアを多く棲まわせていて、消化が可能になっているからである。一方で類人猿や人間の祖先は、フルーツは熟さなければ食べられないし、硬い葉を食べることもできなかった。熟す前にサルに食べられてしまえば食べるものがなくなって、生存競争で負けることになる。

### 体と脳の大型化と直立二足歩行──人類史における画期

われわれ人間の身体は、サルや類人猿とよく似ている。そして類人猿であるゴリラやチンパンジーはサルより大きい。これは、食物の毒性を軽減するために、体が大きくなったと考えられている。人間でも、体の大きな人や太った人のなかに、大量のアルコールを摂取しても平気な人がいる。同様に、少し毒性があるものでも、体が大きければなかなか効かなくなる。ゴリラなども、多少の毒があるものでも食べられるように、体が大きく進化したと考えられている。

大きな体を維持するには、それだけ食べる必要があるし、体に合わせて脳も

[7] たとえば青梅にはアミグダリンという青酸配糖体が含まれており、大量に摂取すると中毒を起こす。

大きくしなくてはならない。こうしてゴリラなどの類人猿と人間は大きな体と脳を持ってしまったために、産まれてから成長をとげるまでに時間がかかることになった。育児には５～７年を要し、それ以上に間隔をあけないと妊娠・出産ができないため、いったん数を減らすとなかなか増えない。その一方でサルは毎年あるいは１年おきに子を産むので、どんどん数が増えていく。ここに大きな差が生まれ、人間および類人猿はサルとの競争に負けて種数を減らすことになってしまった。

しかし、じつは人類の進化の秘密は、このサルと比較した際の弱みを強みに変えたことにある。ここで人類がその強みとしたものこそが、一人ではできないことをみんなで行う「社会力」である。これは本書のテーマである、人と人との「つながり」に大いに関係する。人類史からみれば、人間の最大の強みとは「つながり」であると言っても過言ではない。

サルもチンパンジーもゴリラも四足歩行だが、人類はあるときから立って二足で歩き始めた[8]。直立二足歩行は四足歩行に比べて敏捷性に劣り、敵から逃げる際にも四足歩行のほうが速い。しかし、その弱みを強みに変えて、自由になった２本の手でモノを運び、仲間どうしの連帯感を強め、さまざまな困難を克服してきたのが人類の歴史である。

## 2　類人猿とサルとを分かつもの――食物の分配と共食

サルもゴリラもチンパンジーも、体毛に覆われていて人間とは違ってみえるが、人間とゴリラとのあいだではなく、人間およびゴリラとオナガザル科のサルとのあいだに明確に線が引ける違いがある。それが食物の分配をするか否かである。

### 食物を分配しないサルと分配する類人猿

たとえばニホンザルは植物食で、そもそも食べるものが豊富にあるため、分配の必要がない。しかし、人間が撒いた食物にサルが群がった場合など、たま

❽人類がいつから直立二足歩行を始めたかは明確ではないが、サヘラントロプス・チャデンシス（註４参照）は、頭骨に脊椎骨が連結する大後頭孔の位置が頭骨の中心にあることから、700万年前にはすでに直立二足歩行をしていたと考えられている［山極 2016：35-36］。

**▲写真１　チンパンジーの食物分配**

**▲写真２　ゴリラの食物分配**

写真１では、右から２番目のオスが、サルの肉をメス３頭（うち右側のメスには子どもが抱きついている）に分配し、写真２では、左側のオスが果実トレキュリア・アフリカーナをメスと子どもに分配している。餌を所有する優者が劣者に与えるというニホンザルではありえないことが類人猿では起こる〈筆者撮影〉

たま鉢合わせすることもある。その際になるべく喧嘩にならないルールが、サルの社会ではできている。それが「食物について競合した際には、弱いサルが手を引いて、強いサルに独占させる」というものである。そのため、常に個体間の優劣を明確にわきまえて、喧嘩になりそうな局面になったら、弱いほうが歯をむき出して人間の笑いにも似た表情を浮かべる。「逆らうつもりはありません」という、いわゆる「おべっか笑い」をして、餌から手を引っ込める。すると優位のサルは餌を独占して、けっして分配しない。

このサル社会のルールは言い換えると、「食べるときには分散して、他の個体と鉢合わせしたら弱いほうがゆずる」というルールである。これは一見過酷そうにみえるが、サルの食べ物である植物や昆虫は広範囲に大量に存在するため、さほど厳しいことはない。とにかく自分と他のサルとのどちらが強いかをきちんと認識して、それをわきまえて行動すればいいことになる。

サルと違ってゴリラやチンパンジーなどの類人猿は、食物を分配する。チンパンジーは、サルやムササビなどの小型動物を捕獲して肉を食べるとき、必ずと言っていいほど仲間に分ける（写真１）。ゴリラもまた分配をする（写真２）。その結果、車座になって対面しながら同じ食物に同時に手を出して食べるという光景が生まれる。これは人間の食事を彷彿とさせる。

興味深いことに、霊長類のなかで食物を分配するのは、類人猿だけではない（図６）。食物を分配する種のうち、たとえば類人猿は子どもにも分け与えるし、

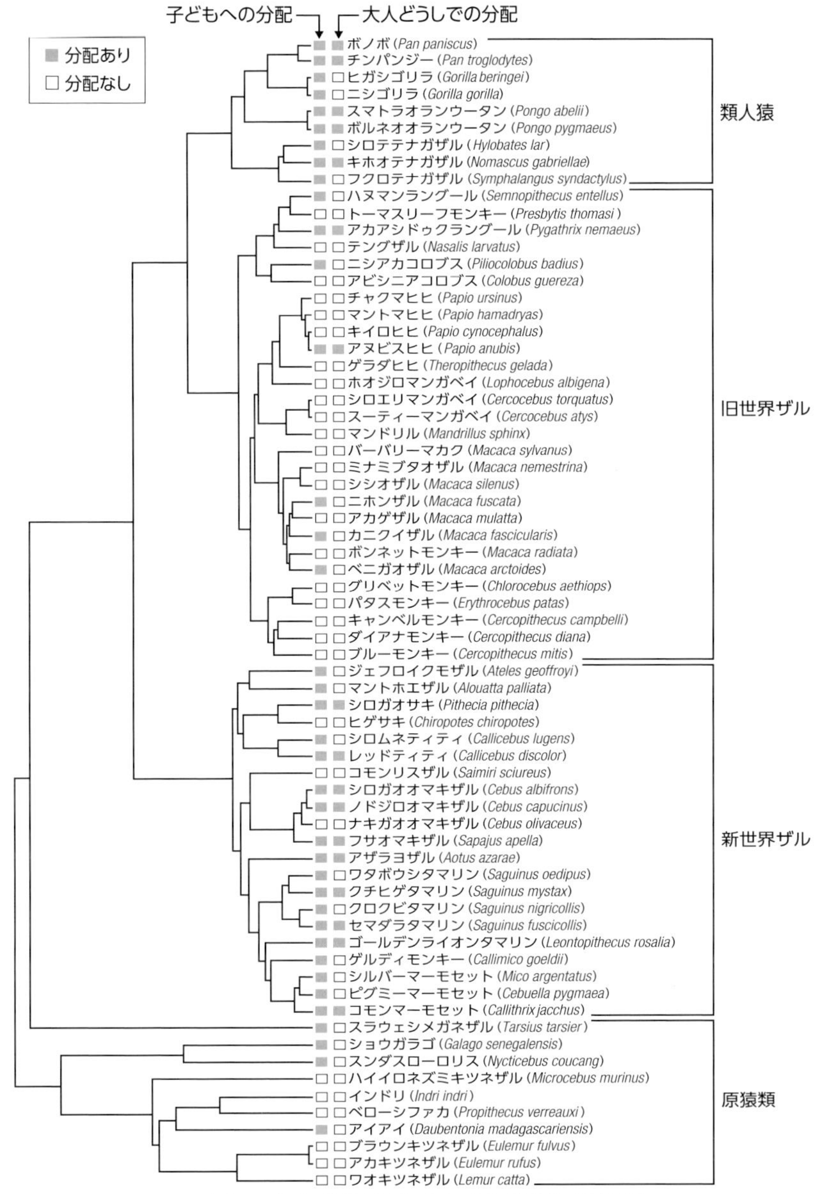


**▲図6　食物分配が行われる霊長類の系統比較**

Jaeggi and van Schaik [2011] をもとに和名は日本モンキーセンター[編][2018]を参照して作成。ゴリラの大人どうしが分配することはこの研究のあとに筆者らが発見したので [Yamagiwa et al. 2015]、この図には示されていない大人どうしの分配もみられる。図6をみると、大人どうしで分配がみられれば、必ず子どもにも分配されており、子どもへの分配をする種の数のほうが多い。このことから、まず大人から子どもへと食物が分配されるようになり、それが大人どうしのあいだに普及したと考えられる。

類人猿以外で大人にも子どもにも食物を分配するのは、南米に生息するマーモセット科のポケットモンキーと呼ばれる小さなサルである。マーモセットの特徴の一つとして、多産であることが知られている。一度に双子や三つ子を出産し、そのうえ産まれてくる子どもの体重が重いことから、マーモセット科のタマリンやマーモセットは母体に負担がかかる。そのため母親の周囲には必ずオスが複数いて、みんなで子どもを抱き上げて育児をして、母親は授乳だけをする場合が多い。つまりマーモセットは共同育児を実践している。やがて乳離れすると、育児をしている大人から子どもへと食物が分配され、それが大人にも及んだと考えられる。

一方、類人猿は、先述したとおり体も脳も大きくなる進化をしたため、成長に長い期間を必要とし、授乳期間が長く離乳も遅い。母親の負担が大きいので、食物は他の個体から子どもへと分け与えられる。このように、育児と食物の分配には大きな関係があることが、研究の結果明らかになってきた。

## 人間が始めた「食物の社会化」と「共感」の誕生

食物の獲得と分配という観点からみると、人間というのはじつに気前がいい動物である。食物を得る際に、その場で食べることなく、①自分が必要とする以上の食物を探して集め、②仲間の元に持ち帰り、③分配して、④一緒に食べる。この四つの工程すべてで人間は、自らの食欲を抑制しなくてはならない。

そこまでする理由として、食物が道具になっていることが考えられる。食物の採集・捕獲時に仲間の食欲が頭にあって、「あいつにこれを分けたら喜ぶだろう」とか「あいつには少しにして、あっちにたくさんやろうか」など、いろいろなことを思考していると推測される。そして食物を実際に並べて分け与えるときには、さまざまな社会関係が操作できる。こうして人間は、食物を使って社会関係を調整すること、つまり「食物の社会化」を始めた。

霊長類のなかでも、多くの種では分配行動がみられない。ところが、進化の

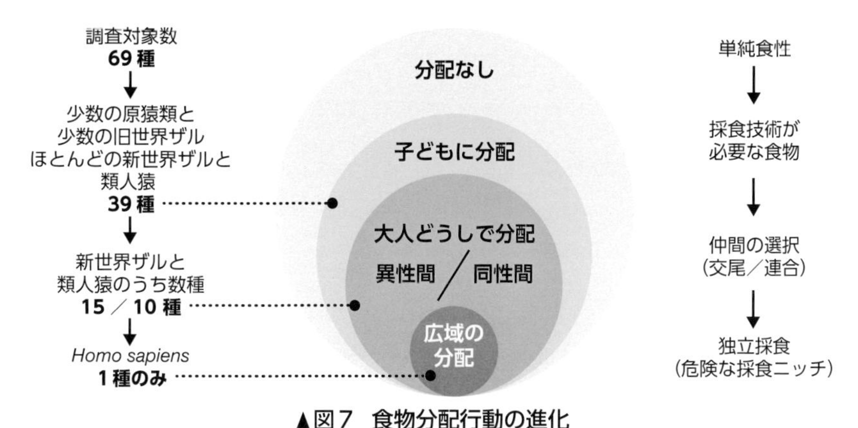


▲図7　食物分配行動の進化
Jeaggi and van Schaik [2011] をもとに作成

過程で、霊長類のうちで育児に負担がかかる種のなかから、子どもに食物を分配する種が現れた（図7）。やがて子どもに分配する種のなかから、大人どうしでも分配する種が出てきた。さらにそのなかで、仲間でもなく親族でもなく、自分の子どもでもない相手に気前よく食物を分配する種が登場する。これが人間である。

世界中のどの地域でも、食物に対して吝嗇な態度を示すと軽蔑され、食物は気前よく与えることが常識となっている。それは人間が古い時代からずっと持ち続けてきた、類人猿にはない特徴である。こうした行動が生まれたのは、熱帯雨林という食物の豊富な地域から出て、食物を分配することが強みになった地域へと、人間が歩み始めたことに起因すると思われる。人間は熱帯雨林を出た太古の時代から、他者との「つながり」を拡大するように進歩してきた。そしてその「つながり」は、まず食物を使うことによって育まれた。

食物の分配行為は、やがて情報の共有にもつながった。「あいつが行ったあそこに、何か食物があるんじゃないか。どうやって採ってくるんだろう」。こうしたことが情報として共有できるようになる。さらには、とりわけ仲間の食欲を頭に入れなくてはいけないことになったため、「仲間がいったい何を思い、何を自分に期待しているのか」が重要になってきた。つまり共感という感情が芽生え始めた。このことが、人類の歴史にとって大きな意味を持っていると思われる。

## 3 人間の大きな脳をめぐる誤解を解く——集団規模と言語

ここで人間の脳について考えてみたい。われわれ人間は、他の霊長類と比べて格段に大きな脳を持っている。ゴリラの脳は500cm$^3$程度だが、人間の脳はその３倍、1,500cm$^3$程度である。なぜこんなに大きくなったのだろうか。

### 「言葉が人間の知性を育んだ源泉」という誤謬

人間の脳が大きくなった原因について、「人間が高い知性を持ったからだ」と主張する人がいる。また、その高い知性がどう育まれたのかについては、「言葉を話すようになり、さまざまなモノや行動に名前を付け、それをみんなで共有し、批判と反省をして、新しいモノを生み出せるようになった。言葉は人間の知性の根源だ」と考える人もいる。しかし、これはまったくの誤りである。

人類の進化史を振り返ると、人間の祖先がチンパンジーと共通する祖先から分かれたのが700万年前で、人間が言語を使うようになったのは７万年ぐらい前とされる。もちろんそれ以前にも「言葉のようなもの」は使用されていたかもしれないが、現在の人間のような言葉は、それ以前には話されていなかった。この事実を踏まえたうえで、脳がいつ大きくなったのかを調べると、200万年前に脳の容量が600cm$^3$を超える。その後どんどん大きくなり、40万年前のホモ・ハイデルベルゲンシス（*Homo heidelbergensis*）で、すでにその容量は1,400cm$^3$を超える。つまり、言葉が登場するずっと以前に、現代人並みの脳の大きさは完成されている。よって、言葉を使うようになって人間の脳が大きくなったのではない。人間の脳が大きくなった結果として、言葉が出てきたと考えるほうが正しい。では、人間の脳が大きくなったのはなぜなのか。

### 脳の大きさは社会の規模と複雑さに比例する

イギリス人のロビン・イアン・マクドナルド・ダンバー（Robin Ian MacDonald Dunbar）という霊長類学者が、人間以外の霊長類の脳を比較した研究を行った。その結果、体重に比べて脳が大きい種は、脳に占める新皮質の割合が高いことがわかった。そこで、脳における新皮質比をｘ軸に、ｙ軸にさまざまなパラメータをとって調査をした結果、一つだけ右肩上がりの特徴を示すパラメータが現

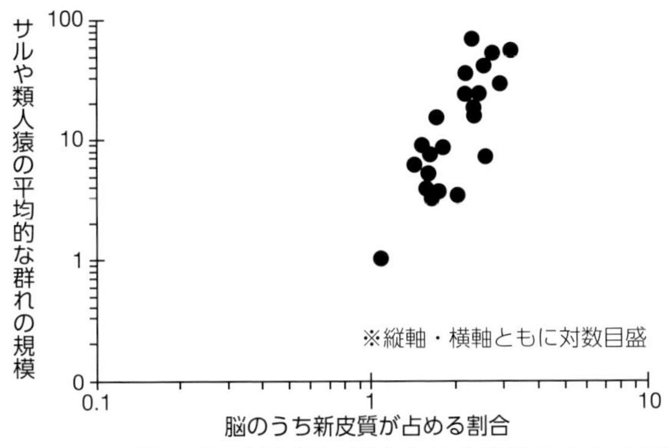


**▲図８　霊長類の脳の新皮質の割合と社会規模拡大との正相関**

新皮質は、脳のなかで分析や思考、言語機能を司っている。ダンバー［1998］を参照して作成

れた。それが平均的な群れの規模である（図８）。群れのサイズが大きい種ほど、脳に占める新皮質の割合が高く、脳自体も大きい。このことは、付き合う仲間の数が増えると脳が大きくなる必然性があったことを示している。つまり社会の複雑さに応じて、それを記憶するように脳容量を大きくしたと考えられる。

先ほど説明したニホンザルの喧嘩のルールでも、自他のどちらが強いかをきちんと頭に入れておく必要がある。自分より強い個体の前で強そうな態度を示したら、攻撃されてしまう。相手が２頭ぐらいであればすぐ憶えられるが、何十頭もの群れになって、すべての顔や個性を憶えなくてはいけないとなるとかなりの記憶力がいる。その分、脳も大きくなっていったのだと考えられる。

ダンバーは他にも興味深い研究をしている。化石しか残っていない古い時代の人類であっても、頭骨の保存状態がよければ、そこに収められていた脳の大きさや形がわかる。ダンバーはそれに基づいて、図８の平均的な群れの規模の相関係数を当てはめて、各時代の化石人類が、脳の大きさから推定してどのくらいの数の集団で暮らすのが適当かを調べている（図９）。350万年前、アウストラロピテクスの脳は、まだゴリラ並みの500cm$^3$以下だった。そのころの人類の集団の規模は、10人から15人という集団であると推測される❾。200万年前に脳の容量が600cm$^3$を超えるとその数は30人に、800cm$^3$を超えると50人になる。だんだんと現代に近づいて、ホモ・ハイデルベルゲンシスの時代に1,400cm$^3$を

❾筆者が長年にわたって研究しているゴリラの群れの平均頭数も、10～20頭程度である。

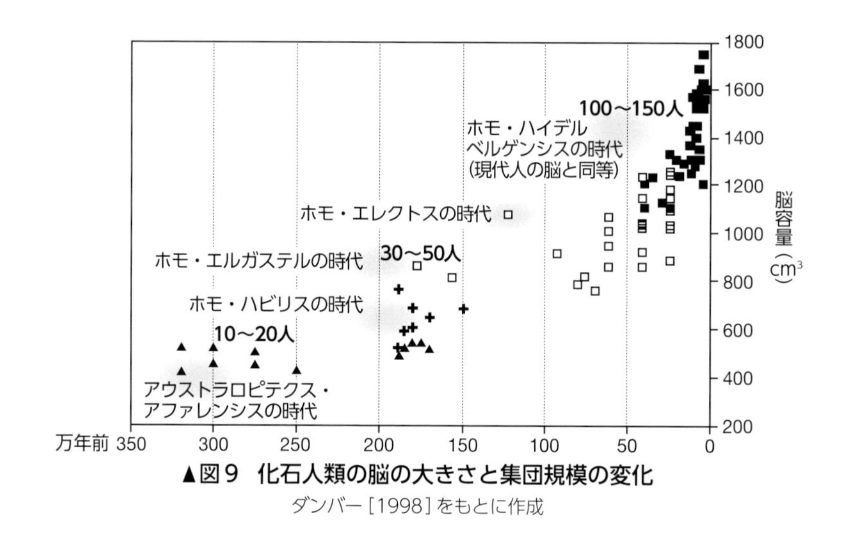


▲図9　化石人類の脳の大きさと集団規模の変化

ダンバー[1998]をもとに作成

超えると100人を超え、1,500cm³ぐらいの脳を持つわれわれ現代人については、150人という集団で暮らすのに適しているという結果が出ている⑩。

### 集団規模に応じた人間のコミュニケーション

人類の進化の過程でみられた10人から150人までの集団規模の変遷は、じつは現代でも生きており、人間はその規模に応じてコミュニケーションの仕方を変えている(表1)。たとえば、10〜15人という集団の例として、サッカーやラグビーなどのチームが挙げられる。彼らは練習中には会話をし、ディスカッションをする。しかしいざ試合になると、話すというより掛け声をかけ、身振りや合図で仲間に意図を伝える。仲間は即座にその意図を見抜き、思うとおりに行動してくれる。これを互いに行うことで、チームワークができている。

筆者が研究するゴリラも、言葉は使わないが、一つの集団がまるで生き物のように動く。これを私は「共鳴集団」と呼んでいる。身体と身体が共鳴しあい、目的に向かって一つの生き物のように行動を合わせることができる集団である。ここに言葉は介在しなくてもいい。

30〜50人の集団としては、学校のクラス、会社の部や課、宗教であれば布教

⑩現代においても自然の食物だけに頼って暮らす狩猟採集民と言われる人たちの平均的な村の規模が150人である。人間は約1万2,000年前に農耕・牧畜を始めて定住を開始したとされるが、それまでは150人程度の規模の村で暮らしていた可能性がある。

**表1　人間の集団規模とコミュニケーション**

| 規模 | 集団の特徴 | 例 |
|---|---|---|
| 10〜15人 | **共鳴集団**<br>……言葉を交わさずに意思疎通可能 | 家族、サッカーやラグビーのチーム |
| 30〜50人 | **一致して動ける集団**<br>……顔と性格を熟知 | 小・中学校のクラス、企業の部、課 |
| 100〜150人 | **信頼できる仲間**<br>……顔と名前が一致 | 日頃会話をあまりしていなくても信頼がおける知己 |

**▲図10　コミュニケーションと共感力、情報処理能力**
共感力が高まると、複数の共鳴集団がまとまって地域集団ができる。より広い集団とのコミュニケーションには、言語を介した情報処理能力が必要になる

集団、軍隊では小隊が想定される。毎日顔を合わせているので顔と性格をよく知っていて、誰か一人いなければ気が付く。通常、この規模の集団については、コントロールに多くの言葉は不要である。誰かが行動に移れば、みんなが一致してその行動についていける。

100〜150人という集団は、信頼できる仲間と言い換えられる。過去につらいことや悲しいこと、楽しいことをともにした経験によって、普段は会話をしていなくても、顔あるいは身体が頭に浮かぶ人間の数である[11]。それは、自分が何か困ったときに、無条件に相談できる相手の人数とも言える。現代では、実際に顔を合わせるのではなくバーチャルな形態をとっているかもしれないが、誰もがこうした人的社会資本としての信頼関係を保ちつつ生きていると考えられる。

人間の集団規模を空間的に表すと、図10のようになる。スポーツの集団以外

---

[11] 筆者にとってこの数字は、年賀状を書くときにリストによらずに顔が頭に浮かぶ数である。150という数字はマジックナンバーとも言われ、人間が信頼できる仲間の最大数とされる。

に、家族も共鳴集団と言える。毎日顔を合わせていれば、たとえば後ろ姿をみただけでも、挨拶する声を聴いただけでも相手の気分がわかる。そういう集団が元になり、複数合わさって地域集団を形成している。

地域集団は、音楽的なコミュニケーションが成り立つ集団でもある。たとえば、同じような民謡を歌う。あるいは一緒にお祭りをする。そして同じような食事をし、同じような服を着て、同じような空気を吸っている。こうした言葉にならないあるメロディに規定された身体を元につながりあっている集団が、地域集団である。われわれは言葉を話しているが、じつは言語だけでつながっているわけではない。ある文化を静かに体にしみこませて、それを共有しながら生きている。それが本来の地域コミュニティだったと考えられる。

その地域集団の外側に、多くの言葉を必要とする世界が広がっている。人の移動が頻繁になったり、集団が大きくなったりしたことによって情報処理能力を増強する必要ができたため、言葉が生まれ、それを駆使して人間は社会をつくりあげてきたと考えられる。

## *4* 対面交渉の違いにみえる社会の差——人間の高い共感力

次に、サルと類人猿、人間のコミュニケーションの違いについて考えてみたい。図11は、食物を目の前に競合したサルの関係を示している。

### サルとゴリラ、チンパンジーの対面交渉

図11の三者関係の対面では、真ん中のサルが一番弱い。このサルが餌に手を出そうとしたら、目の前に自分よりも強いサル(左側)がやってきた。サル社会のルールに従えば、真ん中のサルは餌に手を出さない。ところが、右側をみると目の前のサルよりも強いサルがやってくることに気づいたので、助けを求める。右側の一番強いサルにとっては、目の前で自分より弱いはずのサルが強そうな態度を示していると、自らの社会的地位が脅かされる。だから右側のサルは左側のサルを攻撃する。すると真ん中にいる一番弱いサルも餌に手を出せる。

一方、ゴリラの二者関係では、顔と顔、目と目を合わせる(写真3)。これがゴリラの挨拶である。ニホンザルでは強いサルだけが相手の顔をじっと見つめる

▲図 11　餌をめぐるサルの三者関係（木村しゅうじ絵）
水原［1986：105］図⑬を引用

▲写真3　ゴリラの挨拶
筆者撮影

権利を持っていて、弱いサルは強いサルに見つめられたら横か下に視線をそらさなくてはいけない。ところがゴリラは顔をそらさずに、じっと近づける。

筆者はフィールド調査中に、ゴリラに同じことをされたことがある。ゴリラが近づいてきて、私の顔にぐっと顔を寄せてきた。それまでニホンザルの研究をしていた私は威嚇しているのだと考えて、視線をそらした。するとゴリラはそらした側に顔を近づけてきた。私が逆にそらすと、またそちらに顔を近づけてのぞき込んでくる。このときの経験から、これはゴリラにとって挨拶であり、自分をまっすぐにみてくれるのを待っている行為であることに気がついた⓬。

その経験をして帰国したあと、日本モンキーセンターでチンパンジーを観察すると、ゴリラとまったく同じのぞきこみの行為をしていた。そこで、ゴリラやチンパンジーと同じヒト上科である人間ではどうなのかと考えてみると、人間も同じ行為をしていることに思い至った。

### 目から心を読む力を身につけた人間

人間も普段の暮らしのなかで、多くの機会で顔と顔とを合わせている。朝起きて学校や職場に向かうまでに、たくさんの人と顔を合わせ、挨拶をする。しかも人間は、長時間にわたって向かい合う行為もよくする。その際に、ゴリラ

⓬顔を近づけるのは、匂いを嗅ぎに来ているわけではない。ちなみに、ゴリラの嗅覚は人間よりも弱い。

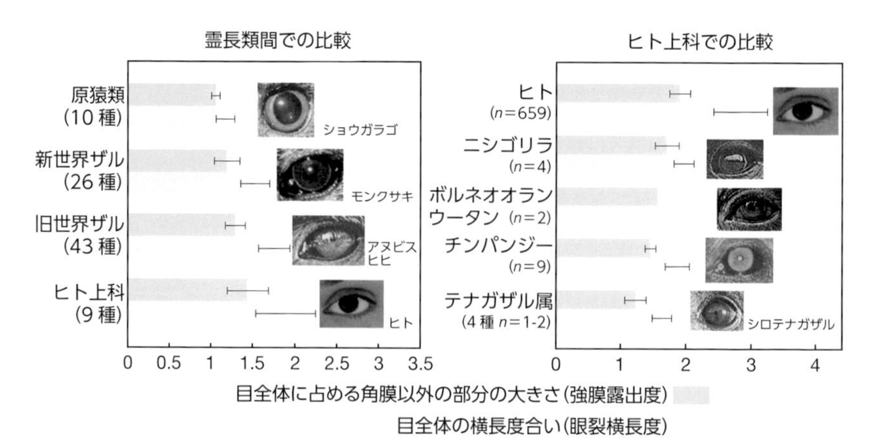


**▲図12 霊長類の目の横長度と強膜の大きさの比較**

ヒトの目はいわゆる白目部分が大きく目立ち、全体が横長である。Kobayashi et al. [2001] から作成

やチンパンジーのように顔と顔とを近づけるのではなく、一定の距離を置く。食事をしているときなどがそうである。その理由は何だろうか。

たとえば話をするにしても、とくに向かい合う必要はない。後ろを向いても横を向いてもいい。若い人なら、携帯電話でやりとりしていれば、すぐそばにいても顔を合わせずに会話できるし、現にそうしている人もいる。しかし、筆者も含む一定の年齢以上の世代は、やはりじっくり腰を据えて、テーブルをはさんで向かい合って話をしたいと考える。これはいったいなぜだろうか。

じつはその秘密は目にあることが、研究の結果わかってきた。図12は、霊長類と類人猿の目を比較して、人間で言ういわゆる白目の部分(強膜)の大きさと、目全体がどれだけ横長かをまとめたものである。これをみると、人間の目だけ白目部分が大きく、全体が横長であることがわかる。つまり人間は、目がわずかに動いただけで白目の割合が変わるため、相手がどこをみているかわかりやすい。それは相手の心の動きが読めることにつながる。しかも、目の動きが心の動きを表すことを、みんなが知っている。学校で学んだり、両親から教わったりしたわけでもなく、生まれながらにして目の動きから相手の心を推測できることを理解している。そして経験を積めば積むほど、この技術は向上していく。

人間にのみ白目があり、ゴリラやチンパンジーにはないということは、人間の祖先がチンパンジーなどとの共通の祖先から分かれたあとに、この白目の部分が大きくなったと考えられる。しかも、どの人間も持っているということは起源が古く、言葉の使用が始まったころよりずっと昔から発達したと考えられる。

相手と向かい合って、相手の目を通して、相手の考えていること、相手の感じていることを読む力は、人間の共感力の一つである。この共感力を高めたために私たち人類は、共鳴集団をつくり、さらには地域集団を形成し、互いに喜怒哀楽をともにしながら助け合う社会を築くことができたと考えられる。

## 5 人類の子育てと成長の特徴——なぜ重く産み、授乳期が短いのか

では、ゴリラやチンパンジーと違って目を発達させて、さらには共感力を高めて、なぜそれほど助け合わなくてはいけなかったのか。この背景には、人類の子育てにおける問題がある。

### 人間の子と類人猿の子の違い——体重と授乳期間

ゴリラは体が大きく、オスは成熟すると200キログラム、メスでも100キログラムを超えるが、出生時のゴリラの子は平均1.6キログラムしかない。一方、人間は５歳になっても平均20キログラムを超えないが、ゴリラは５歳で50キログラム以上になる。つまり、ゴリラは小さく産んで早く大きく育てる。そして授乳期間は３年以上に及び、とくに最初の１年間は母親が子どもを片時も自分の体から離さない。そのためゴリラの赤ちゃんは泣く必要がなく、常におとなしい。そして乳離れを始めるころになると、母親が子どもを父親のもとにつれて行き、そこからは父親が育てる。つまり子育てのバトンタッチが行われる。

小さく産まれるゴリラの子に対して人間の子は大きく、３キログラムを超えて産まれてくることがめずらしくない。重くなって産まれるということは、それだけ成長が進んでいるとも考えられるが、実際には、自力で母親につかまっていられないほどひ弱である。しかも、ゴリラなどに比べると成長が遅いにもかかわらず乳離れが早い。

ヒト上科（オランウータン、ゴリラ、チンパンジー、人間）の①乳児期、②少年期（離乳して大人と同じものを食べる期間）、③成年期（繁殖が可能な期間）、④老年期（繁殖から引退して死ぬまでの期間）について調べると、それぞれ長さが異なる（図13）。オランウータ

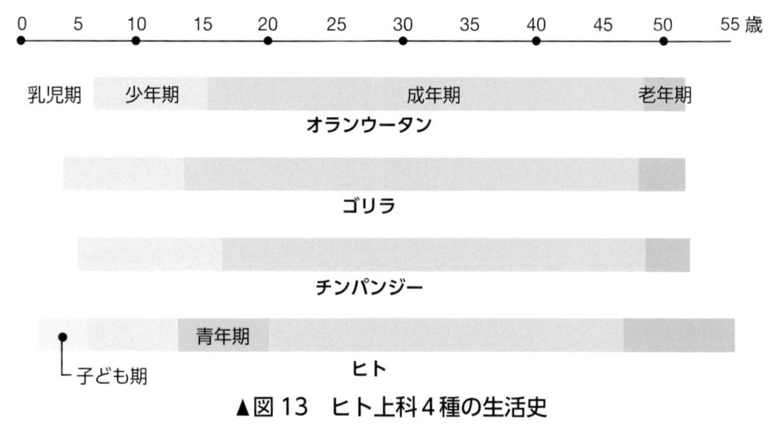


▲図13　ヒト上科4種の生活史

ヒトだけが乳離れが早く、子ども期と青年期が存在する。Yamagiwa [2015] から作成

ンの乳児期は7年、ゴリラは3〜4年、チンパンジーは5年である。人間の子だけが、1年か2年で離乳してしまう。しかも、離乳した段階では大人と同じものが食べられる歯にはなっておらず、永久歯が生えるのは6歳ごろからである。オランウータン、ゴリラ、チンパンジーは離乳した時点で永久歯が生えているため、大人と同じものが食べられる。

現代でこそ人工の離乳食があり、栽培した食物もあるため、人間はこの時期の嬰児にやわらかいものを食べさせることができる。しかし農耕・牧畜が始まる前までは、赤ちゃんが食べられる、たとえば果物などをどこかから採ってくる必要があった。なぜそんなコストをかけてまで早く離乳させてしまうのか。

また、人間にだけ、繁殖能力がついたけれども繁殖しない時期がある。これを青年期と言う。さらに、繁殖をしなくなって老年期に入ってから20年、30年と長く生きるのは人間だけである。こうした人間に特有の事象は、それぞれ独立して人類の進化史に登場したのではなく、関連しあって出てきたと考えられる。その理由はいったい何なのか。

### 熱帯雨林を出て早まった離乳時期――出産間隔の短縮

人間の子が乳歯のうちに離乳してしまうのは、人間の祖先が熱帯雨林を離れたためだと考えられる。熱帯雨林は年中緑の葉っぱがあり、フルーツが実る、食物が豊富な場所である。さらには高木があるため、地上性の大型の肉食動物が襲ってきたら、木の上に逃げることができる[13]。ところが熱帯雨林を一歩出た草原には高木がなく、逃れる場所、身を隠す場所がない。それゆえ人間の祖先の多くが、大型の肉食動物に襲われて命を落としていたと考えられる。その際には、捕まえやすく食べやすい幼児がとくに狙われた。これが熱帯雨林を離れた人間の祖先が直面した大きな課題だったと考えられる。

では、それをいかに克服したのか。先述したように、直立二足歩行は速力に劣る。しかも人間はまだ武器が使えなかった。犬歯も長くない。そこで人間の祖先は、たくさん子どもを産み、死んでいく子どもを補填する道を選択した。実際に、肉食動物に食べられることが多いほ乳類には、多産という特徴がある。たとえばイノシシは平均５頭、多いときには８～９頭を一度に産む。しかし、サルや類人猿の仲間である人間は、多くが１産１子である。では、亡くなる子どもを補填し、子孫を残して種としての数を増やすにはどうしたらいいのか。

１産１子でも、多産の動物と同様に、一定期間に数を増やす方法がある。たとえばシカは多産ではないが、毎年子を産むので数が増える。ヒトもその道を選び、出産間隔を縮めて、短い期間で何度も子どもを産める状態になった。それを可能にするために、子どもを早く母親から引き離して、母乳が出るのを止める。一般に、赤ちゃんが吸わなくなれば、２週間程度で母乳は止まる。すると母乳の産生を促し排卵を抑制するプロラクチンというホルモンが消滅して、排卵が回復する。排卵が回復すれば、妊娠・出産が可能になる。

### 脳を急速に成長させるために重くしてから産む

では、人間はなぜ胎児を重く育ててから産むのか。これは脳の発達と関係している。人間の脳は200万年前に大きくなり始める（図14）。このときまだ人間が四足歩行をしていたら、胎児のうちに脳を育てて、頭の大きな子を産むことができただろう。ところが、人間は直立二足歩行を始めてから、上半身の重さを支えるために骨盤の形状が皿状に変わってしまい、産道を広くすることができなくなってしまった。そこで、胎児の状態では頭を小さいままにして、産まれてから脳が急速に成長するようになった。だから人間の子は、産まれた直後の１年間で脳容量が２倍に成長する。そして５歳までに大人の脳の90パーセン

[13] そのため人間以外の霊長類はすべて、木に登る能力を備えている。

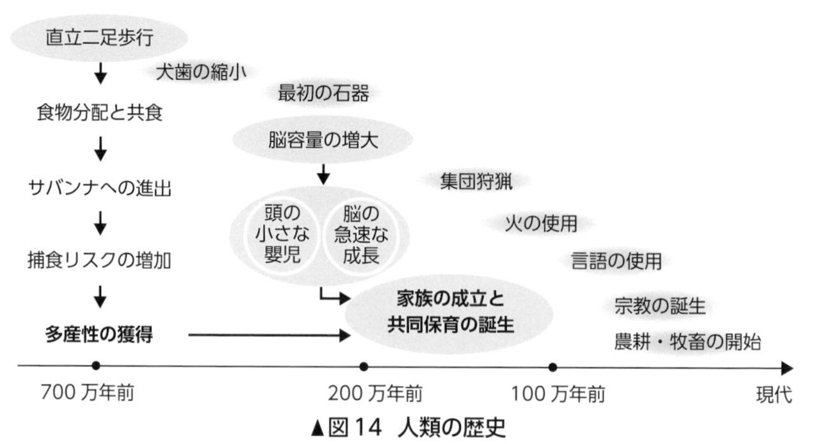


**▲図 14　人類の歴史**

直立二足歩行と脳容量の増大が家族と共同保育を生んだとされる。Yamagiwa [2015] から作成

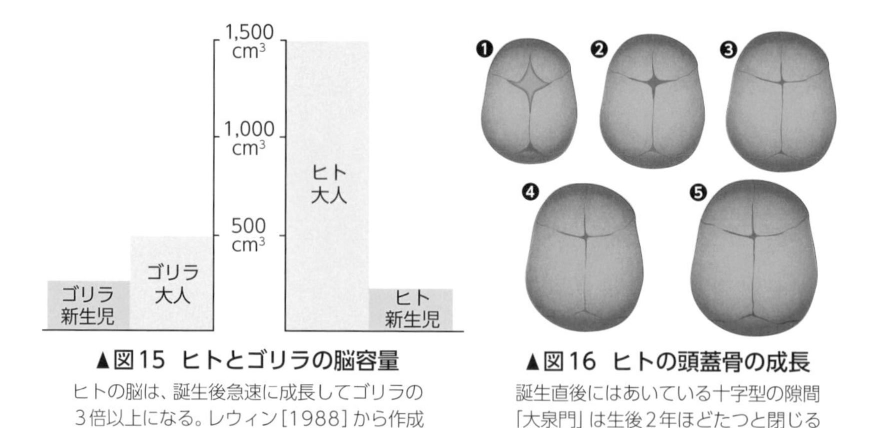


**▲図15　ヒトとゴリラの脳容量**

ヒトの脳は、誕生後急速に成長してゴリラの3倍以上になる。レウィン[1988] から作成

**▲図16　ヒトの頭蓋骨の成長**

誕生直後にはあいている十字型の隙間「大泉門」は生後２年ほどたつと閉じる

ト程度の容量になって、12歳から16歳ぐらいで完成する。

ゴリラの子どもの脳は、産まれた時点で大人の脳の半分程度で、４歳までに２倍になって大人と同じになる。人間の嬰児の脳はゴリラの４倍の速さで大きくなり、大人になるとゴリラの３倍以上になる(図15)。そのため人間の嬰児の頭骨は、いくつかの骨が組み合わさってできていて、あいだに結合していない隙間がある(図16)。これは速すぎる脳の成長スピードに骨が追いつかないために存在する隙間である。大人になるとそれぞれの骨が結合して、この隙間はなくなる。類人猿の子の頭骨は、産まれたときから隙間なく閉じている。

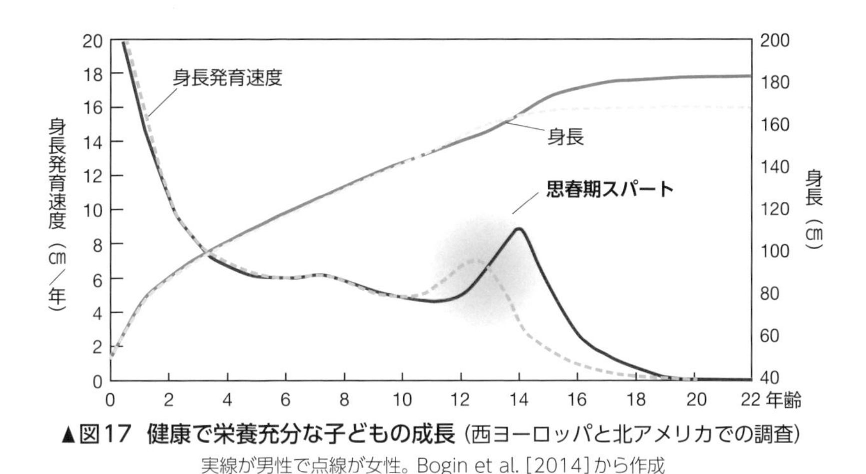


**▲図17　健康で栄養充分な子どもの成長**（西ヨーロッパと北アメリカでの調査）
実線が男性で点線が女性。Bogin et al. [2014] から作成

人間の体のなかで、脳は莫大なエネルギーを使う機関である。われわれ大人でも脳の重さは平均して体重の２パーセント程度しかないが、休息しているときの基礎代謝率の20パーセント以上を脳の維持に使っている。成長期の子どもは40～85パーセントのエネルギーを脳の発育に回している。

人間の嬰児は、脳を成長させるエネルギーを、身体の成長に使う分を回すことで得ている。それだけ莫大なエネルギーを、適正に送り込めずに途切れるようなことがあれば脳の成長が止まってしまう。そのため、あらかじめ分厚い皮下脂肪を溜めて、体脂肪率15～25パーセントという丸々と太った状態で産まれるようになった[14]。人間の赤ん坊が丸々としているのは脳を守るためとも言える。

## 思春期スパート――脳に体が追いつく人間特有の時期

人間の身体の成長速度を調べると、生まれた直後は速いことがわかる（図17）。ところがその後、脳にエネルギーをとられるために、成長速度は下降する。５歳ぐらいでフラットになり、12～16歳になって、脳の成長が止まって身体にエネルギーを送り込めるようになると、身体の成長が加速するピークの時期を迎える。女子のほうが男子より２年ほどピークが早く、男子のほうがピークが高いという特徴がある。この時期を「思春期スパート」と呼ぶ。思春期スパートは脳の成長に身体が追いつく時期であり、女子で10～18歳、男子で12～21歳の

[14] ゴリラの子は体脂肪率5％以下で産まれ、その段階で自力で母親に抱きついていることができる。

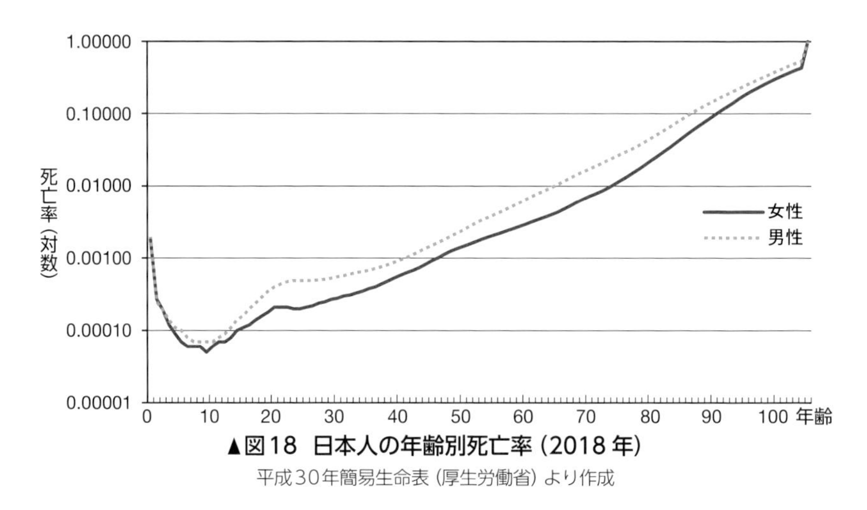


**▲図18　日本人の年齢別死亡率（2018年）**

平成30年簡易生命表（厚生労働省）より作成

この時期に、繁殖力を急速に身につける。この時期は同時に、学習によって社会的能力を身につけなくてはならない大事な時期でもある［スプレイグ 2004］。

日本の年齢別死亡率をみると、生まれた直後は親の目が行き届くためいったん下降するが、2～6歳にかけての離乳後の時期が高い（図18）。この時期に、子どもは乳歯でありながらさまざまなものを食べ、また母親から離されるために大人と付き合わなくてはならない。まさに子どもながらにして自身を守ってくれる環境をつくらなくてはならない時期と言える。さらに、親の目が行き届かなくなる10歳を過ぎると再び上がり始め、思春期スパートを越えた直後で男女ともに死亡率が一度ピークを迎える。このことは、思春期スパートによって心身の成長のバランスを崩し、大人とのトラブルに巻き込まれたり、精神的に病んだり、病気になったり、事故が起こったりと、死に至る危険が多いことを表している。人間の成長においてもっとも危険な時期の一つである。

直立二足歩行を始めた人類は、手を使って食物を安全な場所に運んで食べられるようになった。これにともなって共感という感情が芽生える。また、食物獲得競争を避けて熱帯雨林から草原に出ると大型肉食動物に襲われたため、多産にならなくてはいけなかった。そして集団の規模が拡大し脳が大きくなると、胎児のうちに脂肪を溜めてから子を産むようになり、成長は遅くなった。それをカバーするために共同の保育が必要になり、家族という「つながり」が成立する。この時点で人間の共感力は、ほぼ完成されていたと考えられる。

## *6* 人間の家族と社会の成り立ち――音楽、言語、芸術

熱帯雨林を出たころの人類の家族は、どのような形態をしていただろうか。先述したように、人類は、チンパンジーやゴリラなどの類人猿、さらにはサルとの食物の獲得競争から逃れるために、熱帯雨林から出た（図14）。しかし高木がなく隠れる場所も逃げる場所も少ないサバンナは、人類にとってもっとも危険な場所であった。このときに、互いに気づかい、いたわりあう必要性が高まる。それを何度も経験することで、人間の祖先は共感力を高め、結束力を高めていった。端的に言うと、現在のわれわれの社会は、複数の家族による共同の子育てと共食というつながりによって構成されてきたのだと考えられる（図19）。

### 子育てを通じて生まれ、連帯を育んだ音楽

コミュニケーションについても、人間は独自のものを発達させた。先述したように、人間の嬰児は重く生まれ、自力で母親につかまっている力もないので抱き続けることはできず、母親は誰かに預けるか、どこかに置く。母親が離れてしまうから、自分の不具合を訴えるために、また不安のために赤ん坊は泣く。気持ちがよければニッコリ微笑む。その微笑みに、お母さん以外の誰もが魅入

※1……家族は自分のために相手がいるとは考えずに、相手のために無償で動き、互いに見返りを求めない。

※2……共感力を高めて同情心を持った人間は、向社会的行動をとるようになる。向社会的行動とは「他人のために役立つことをしたい」という思いに基づく行動で、家族を超えた範囲に対して、時に無償で行われる。

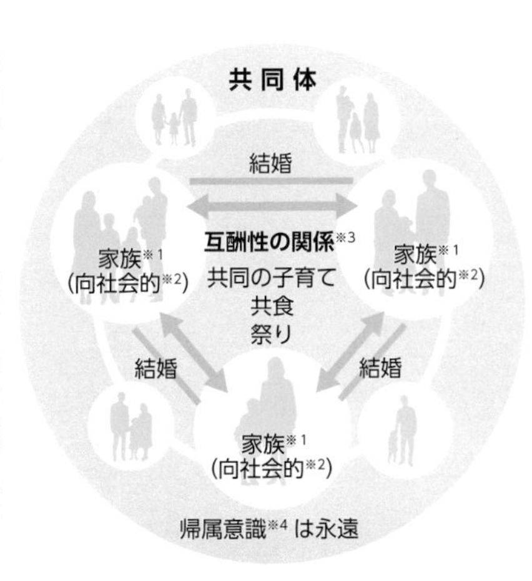


※3……共同体は、誰かに何かをしてもらったらお返しが必要になるという互酬性の関係のうえに成り立つ。

※4……人間は「どの集団に属しているか」という帰属意識を一生持ち続ける。帰属意識があるからこそ、それを移動時に確認・証明しつつ集団を行き来することが可能になっていると考えられる。

**▲図19　家族と共同体の二重構造と社会性**

人類は家族のためには無償で動き、共同体のなかでは互いに力を出し合い、助け合って社会をつくりあげてきたと考えられる［山極 2014: 161-162］

られ、赤ちゃんを慈しむ。これが人間の共同の子育ての根幹である。人間の子は、共同の子育てをしてもらえるように産まれてくると言っても過言ではない。

母親に抱かれていない嬰児に対して、大人や年上の子どもたちは、音楽的な声やしぐさであやし、あたかも母親に抱かれているような気分にさせる。この行為が人間の最初の音楽につながったのではないかという仮説がある。嬰児は人間の言葉を理解できない状態で、絶対音感の能力を持って生まれてくる。ほとんどの人は言語能力を獲得する3、4歳になるとこの能力を失って、相対音感になる[15]。相対音感になるまでの嬰児は、すべからく音のトーンを聞いている。人びとが嬰児・幼児に語りかける声は、motherese もしくは infant-directed speech（対乳児発話）といって、世界のどの民族やどの文化でも同じような特徴を持つ。ピッチが高くて変化の幅が広く、母音が長めに発音され、繰り返しが多い。子守唄にはこの特徴が反映されていると言われる[16]。

食物の分配について、大人から子どもへの分配行為が先で、それが大人どうしにも広がったことを紹介した。これは音楽も同じだと考えられる。まだ言葉の意味を理解しない乳児に大人から語りかける声、音調が音楽になり、それが大人どうしにも普及した。それはまさに母親と離れて不安な乳児をなだめるように、不安を取り除き、互いの垣根を取り払い、心を一つにして行動できる一体感を大人のあいだにもたらしたのではないだろうか。音楽によって、社会の同一性、協力、連帯が、より強く育まれたのではないかと思われる[17]。

### 食物の運搬と分配が生んだ言葉とストーリー

音楽とともに、社会の連帯のプロセスを助けたのが食物である。先述したように、食物はさまざまに姿形を変えて、われわれのコミュニケーションの道具になってきた。図20は、脳の大きさの変化を表した図9に、人間の食物に関する時代変化を重ねたものである。最初は二足歩行になって、自由になった手で食

[15] これは言葉の意味が音の高さによって違っては困るからで、言語によるコミュニケーション能力の発達にしたがって相対音感が支配的になると考えられている［山極 2012: 274］。

[16] 同じような声を私たちはペットに対しても使う。これは、ペットのことを言葉を理解しない嬰児と同様に捉えているからである。そして嬰児は生まれながらに、習わなくともそのトーンを感じる能力を持っている。

[17] 音楽に加えて、二足歩行で自由になった両手を使ったジェスチャー、さらには身体を使った踊りも、人類の心と心を結びつけ、一体感を醸成する力があると考えられる［山極 2020b］。

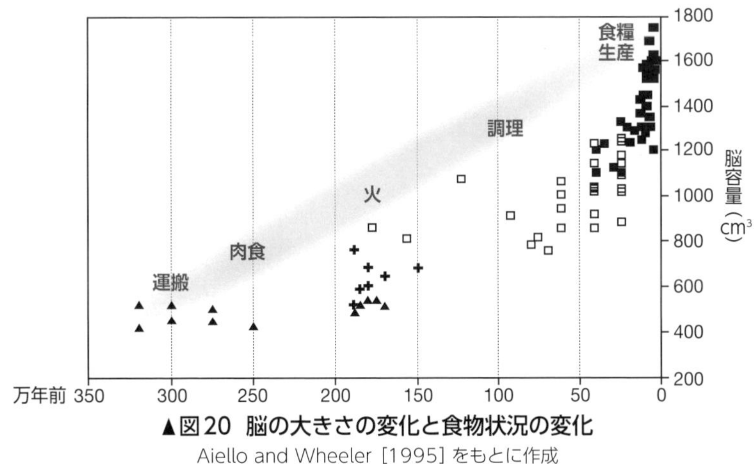


▲図20　脳の大きさの変化と食物状況の変化
Aiello and Wheeler［1995］をもとに作成

物を運んだ[18]。そして脳が大きくなり始める少し前に肉食を始めて、巨大なエネルギーの塊を脳の成長に使えるようになった。やがて火を使い始めて消化率をよくして、さらに調理が始まってさまざまなものを食べられるようになった。そして１万2,000年前に食糧生産が始まる。このような運搬と分配、共食の変遷を経て、人間は「つながり」をそれぞれの段階で変えていったと考えられる。

食事というのはフィクションの宝庫であり、食物にはストーリーが必ずつきまとう。どこで誰が採って、どんな道具で調理したのか、加工されればされるほど、技術が加われば加わるほど、多様な物語を生んでいく[19]。共食してその物語を共有することで、一緒に生きる人たちの気持ちを斟酌する能力が高まっていく。そのプロセスのなかで言葉が生まれ、事象や感情に言葉による意味が付与されて、時空間が一気に広がる「認知革命[20]」が起こる。言葉の登場は人類史における画期的な大革命だった。言葉を使うことは、ものを運ぶよりも格段に楽である。目でみせる必要がなく、言葉によって視覚を担保して、あたかもみたような気持ちにさせることができる。

---

⓲ 食物を運べるようになったことで、とくに子どもや妊娠した女性は安全な場所にいさせて、男性が食物を運ぶことが可能になったことも、人類史で大きな意味を持った［山極・小川 2019: 57］。

⓳ 自分がみえないところで起こっている物語を共有することは、人類だけにみられる特徴である。詳細は［山極 2020a］を参照。

⓴ 7～3万年前にかけてみられた、新たな思考と意思疎通の方法の登場のこと。とくにフィクションを信じ共有できるようになったことが重要だったと指摘されている［ハラリ 2016〈上〉: 35-40］。

▲写真４　スラウェシ島の洞窟内の手形

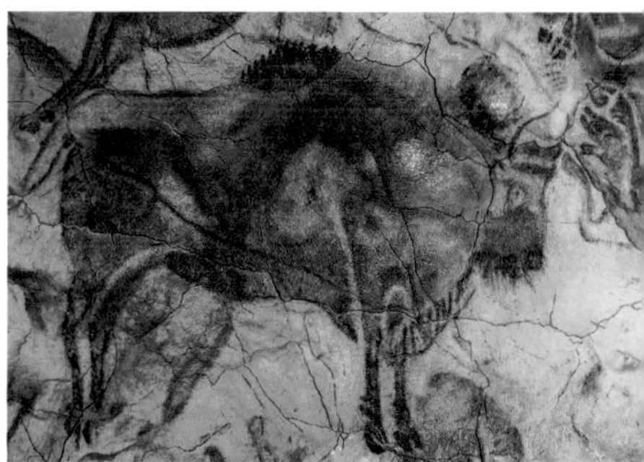

▲写真５　ラスコー洞窟の壁画のレプリカ

### 個人と社会の変化と芸術の誕生

言葉が登場したことによってもっとも大きかったのは、ストーリーに意味が付けられたことだと言える。それまでは、意味はあまり重要ではなかった。音楽も人の感情を左右する効果はあったかもしれないが、意味はなかった。言葉が音楽に加わることで歌になり、意味が付与される。歌は人間の行動を左右する大きな指標になり、さらには芸術が生まれる。模様と言葉とが結び付き、絵も意味を伝える媒体となって発達する。そこから人間の進化は急速になる。

現在、最古の芸術と目される徴候は、南アフリカのブロンボス洞窟で発見された。穴のあけられた大量の貝やオーカー[21]で抽象模様が描かれた石の薄片がみつかっており、これらは７万3,000年前のものと推定されている。また、世界最古の楽器は、ドイツ南部のシュヴァーベン・シュラ地域で発見されたマンモスの牙やハゲワシの骨を使ったフルート状のもので、使用年代は約４万年前と推定されている。同じく４万年前のインドネシアのスラウェシ島では、手形を捺したような「初期の芸術」と言われるものが現れる（写真４）。そしてヨーロッパでは、よく知られたアルタミラやラスコー洞窟の壁画（写真５）が生まれる[22]。

こうした芸術が現れる重要な条件として、以下の能力や環境があったと考えられる。①人間が個人で自己主張をするようになり、②その自己主張を受け止めるだけの大きさの集団になった。また、③それぞれが高い共感力を持ち、④

---

[21] 酸化鉄が多く含まれた粘土状の物質。

[22] スペイン北部カンタブリア州にあるアルタミラ洞窟の壁画は１万8,000年～１万年前、フランス南西部ドルドーニュ地方にあるラスコー洞窟の壁画は２万年～１万5,000年前のものとされる。

**表2　芸術誕生の必要条件**

| |
|---|
| ①自己主張する能力と環境 |
| ②大きな集団社会 |
| ③高い共感力 |
| ④同化したり同調したいという願望 |
| ⑤世界を解釈したいという欲望 |
| ⑥人や物に憑依する能力 |
| ⑦無いものを想像する能力 |
| ⑧定住とコミュニケーションをとる場所 |

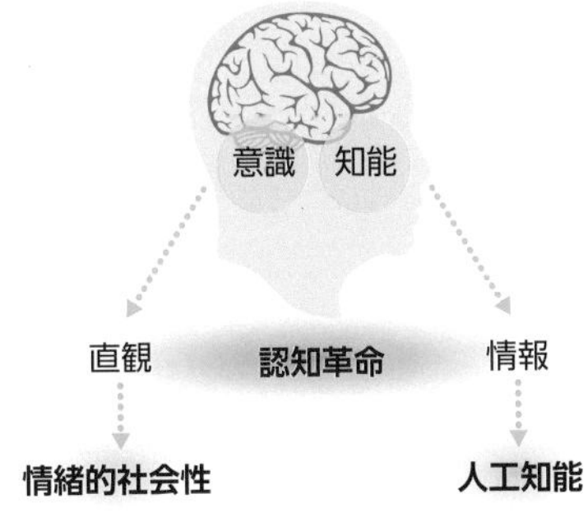


▲図21　認知革命と人工知能の誕生

相手に同化したり同調したいという願望を持った。そして、⑤自分たちがみている世界を解釈したいという欲望や、さらには何かになってみたい――鳥や魚になってみたいといった⑥憑依する能力や比喩する能力も持つようになった。これらは言葉によって生まれたと考えられる。そして、⑦現在自分の身の回りにないものを想像し、それを欲するような能力も発達した。それを互いに共有するには、人間は同じ場所に住み続けなくてはならない。⑧定住してコミュニケーションをとる場所が必要である。こうした条件が整ったおかげで、人間は現在のように多彩なコミュニケーションを使ってつながりあうことができるようになったと考えられる（表2）。

## 7　デジタルと適切な距離をとり、「つながり」を再生する――家族崩壊の危機と不安な時代を乗り越える術

こうして共感力を高め、社会を築いてきた人間は現在、重大な転換点に差し掛かっている。その転換をもたらしたのが、人工知能の登場と人間の暮らしの変化である。人間は意識（感情）と知能を持っており、脳はその両方を司る（図21）。しかし認知革命を経て現代に至り、言葉を情報として処理できるようになった結果、その情報のみを取り出して扱う人工知能が生まれた。情報化できない感情、気持ち、情緒的な部分については、いまだにそれぞれの人間の脳が司っており、現在のところこれを人工知能に任せられる状態にはなっていない。

人間が農耕・牧畜を始めた約1万2,000年前、地球上の人口は約600万だっ

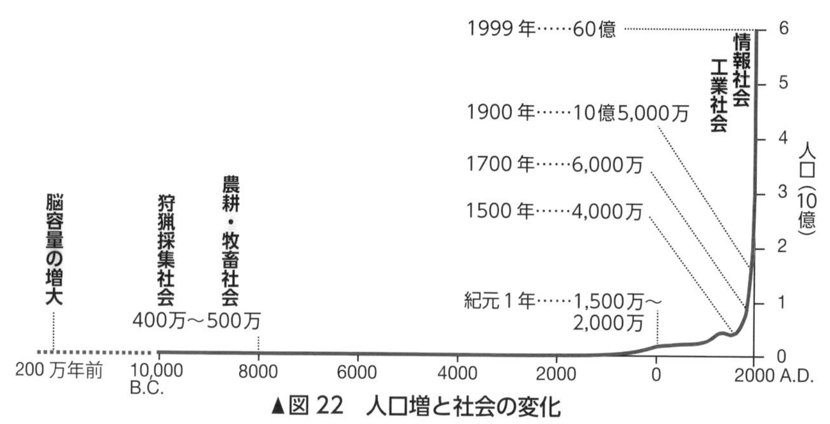


▲図22　人口増と社会の変化

slideserve掲載資料〈https://www.slideserve.com/gaetano-lavery/population-growth ©Gaetano Lavery〉をもとに作成

たとされている。産業革命を経て情報社会に突入した現在では、77億という数に達した。しかしこの間、人間の脳の大きさに変わりはない（図22）。数が増えたのは人間だけではない。現在、ウシは15億、ヒツジは12億、ヤギは10億、ブタが10億、ニワトリが500億にまで増えたとされる。一方、野生動物をみると、ゾウは62万、チンパンジーは30万、ゴリラは20万しかいない。つまり、地球上に暮らすほ乳類の9割以上が、人間と家畜である。これだけ人間が生命を変えてしまった。その結果、安定した地球で人類が安全に活動できる範囲を示す「プラネタリー・バウンダリー[23]」の九つの指標のうち三つまでが、限界を超えてしまったと言われている。

## 暮らしの変化によって「サル化」する人間社会

増え続けてきた人類は、現代に至ってその暮らしぶりを大きく変えている。長らく「多子高齢化社会」で暮らしてきた人類が少子になった結果、乳がんや子宮がんの発症率が上昇した[24]。食物もかつてとは大きく変わり、ジャンクフードの登場は、過剰な糖の摂取、内臓脂肪の増加、肥満の蔓延を促している。労働

---

[23] 地球の環境容量について代表的な九つのプラネタリー・システム（気候変動、海洋酸性化、成層圏オゾンの破壊、窒素とリンの循環、グローバルな淡水利用、土地利用変化、生物多様性の損失、大気エアロゾルの負荷、化学物質による汚染）を取り上げ、そのバウンダリー（臨界点）を評価するもの。

[24] 乳がん、子宮がんともに女性ホルモンが発症に関係しているとされ、晩婚・晩産、出産回数の低下が影響すると言われる。

環境についても、オフィスワークが多くなり、運動不足に陥る人が増えた。多くの人がテレビやインターネットばかりみるようになって、視覚環境も変化した。睡眠時間も不足しがちになり、さまざまな要因が絡み合ってストレスの増大も招いた。さらには、薬の多用と腸内細菌叢の劣化によって、食べ物を消化する機構も変わってしまった。

その結果、人類は成熟が早くなり、歯は小さく、あごは短くなり、骨は細くなって足は扁平になり、虫歯が増えた。虫歯がある人口は、現在世界で25億、全人口の３割以上と言われている。また、1970年から2010年までの40年間に、感染症と栄養失調で死亡する人の割合は17パーセント低下した。そうして平均余命が11年延びたかわりに、非伝染性の病気で死亡する人の割合は30パーセント増えた［リーバーマン 2015］。

こうした変化が重なった結果として起こったのが、人間の家族崩壊である。家族の意味がなくなったわけではない。しかし、人間の体、精神、社会、そして環境をめぐるさまざまなことが変化し、とりわけコミュニケーションの仕方が変容して共食の機会が減少したために、家族という形態を保つことができなくなってきている。そして、家族のかわりに個人が裸にされて、制度や政治と直接向き合わざるを得なくなった[25]。かつては個人を守ってくれた人的社会資本である周囲の人びとも、もはや守ってくれる存在ではなくなってしまった。

少子化のため、共同の子育ても減った。家族どうしのつながりも消失した。そうして子育ての個別化・経済化・機械化が進んだ結果、人間社会は「サル化」している［山極 2014］。共感社会である「ゴリラ化」ではない。先述したように、サル社会は、個体の欲求を最優先するルール社会である。群れのなかで序列をつくり、規則に依存し全員がルールに従うことで、個体の利益を最大化しようとする。同様に、人間の子育てが母子単位にバラバラにされると、相手の気持ちを推し量り、相手とさまざまな身体的コミュニケーションをしながらその経緯を記憶して暮らすのではなく、ルールだけを頭に入れるようになってしまう。

---

[25] 近年起こったコミュニケーション革命によって、パソコンや携帯電話を利用して、メール、TwitterやFacebook、Instagramなどを通じて、顔のみえない相手とも個として自在にネットワークを作れるようになった。それは同時に個が家族や共同体を通してではなく、社会と直接向き合っている状態でもあり、そのことの危険性も指摘されている［中沢・山極 2020: 102］。

暮らしに効率化を求めようとすればするほど、トラブルは長引かせたくない。そうであれば、相手と自分とのどちらが強いか弱いかだけ判断して、それに従えばいい。これはまさにサルの社会である。こうした社会へと回帰していけば、これまで人類が育んできた洞察力、共感力は、使わないから減退していくことになる。そして、共感力を使わなければ、相手との信頼関係も失われていく。信頼関係が失われれば、さらに個人の利益だけを求める共同体になっていく。それはやがて、「一緒に暮らす人は互いに利益を高めあうはずだが、それ以外は自分たちの利益を侵害するかもしれないから排除しよう」という閉鎖的な社会につながる。すでにその萌芽は、世界の至るところでみられている。

### 信頼が揺らぎ、宗教が力を失った不安の時代

人類の体と心、社会が変わりつつある現代はまた、「不安の時代」とも言われる。科学技術は安全性を高めてくれるが、安心を与えてくれるとは限らない。なぜなら安心は環境ではなく、人が与えてくれるものだからだ。いくらさまざまなことが技術的に管理されている環境でも、人が裏切ればすぐに崩壊する。たとえば駅のプラットホームに立っているとき、電車が入ってくるタイミングで後ろから押されたら、轢かれて死んでしまう。われわれは疑いもなく、そうした信頼は担保されるものと思ってこれまでの暮らしを紡いできた。それがいま不確かなものになっている。

そして現代では、古くから人と人とをつなぎあわせる接着剤の役割を果たしてきた宗教が力を失ってしまった。さらには、科学はたしかに進展したが、フェイクニュースが大量に流れていて、エビデンスが確かかどうかわからない。そして世界はグローバルにつながり、中心と呼べるような存在はなく、それぞれが内向きになって、フラットで均質な世界が立ち現れている。

こうした社会は、身体の「つながり」ではなく、脳の「つながり」に時間を使う社会と言える。つまりバーチャルな世界を第一として考えるようになってしまった。われわれはいま現実にみて感じている世界よりも、フィクションの世界に生きている。インターネットでの「つながり」というのは、まさにその状態である。

### 信頼関係を再生し社会を維持するための脱デジタル

ここで新たな信頼関係を築くために提案したいのは、「理解することをやめる」こと、つまり脱デジタル社会の模索である。人工知能やAI(artificial intelligence)をはじめとする科学技術の成果は、あくまでも「理解するため」のツールである。しかし、そもそも人間の心は、外から完全に読むことはできない。だからこそ、あらゆる手がかりを用いて相手の気持ちを探ろうとする。視覚や聴覚のみならず五感を総動員して、共感力を用いてコミュニケーションをとろうとする。それは、「好き嫌い」、「共感」や「信頼」といったものを情報として理解するのではなく、相手がどんな気持ちかを知ろうとする営みである。そしてその行動は、すべての個体が違うことを前提にしたものである。違うからこそ同じ事象に対する反応が異なり、合意を形成する必要が生じる。形も生理も異なる者について「理解する」ことは不可能なのである[26]。こうした人間の「理解する」ことへのこだわりを捨てれば、デジタルとの適切な距離がとれる。

人間が多様な事象を大量に情報化して入力しておけば、情報を求める質問に対して、AIは必ず情報としての答えを出すだろう。しかし、AIやデジタル技術への過度の依存は避けるべきである。人間は適応しやすいため、AIが出した答えのように自らを変えたくなる。GAFA(Google、Amazon、Facebook、Apple)と呼ばれる情報通信企業は、人に情報を提供すると同時に人の情報を集めている。人間についてあらゆるビッグデータのなかで分析し、その未来像を描いている。それが進めば、AIが描いた未来像のようにみんなが振る舞うようになってくる。Amazonで何か本を買えば、「こちらもおすすめ」という提案が出る。それにのってクリックすれば、相手の思惑どおりになってしまう。こうして人間はだんだん変更・改造されている。

こうした状況が続けば、人間はもはや考えることをやめてしまい、均一化する方向に向かうだろう。相手のことを推し量る、共感する力も弱まり、「つながり」も失われる。考え続けてAIを生み出してきた人類が、考えることをやめてAIの誘導にのって生きるだけの存在になってしまったら、それはもはや人間ではなくなってしまうのではないだろうか。こうした事態を避けるために、一度デジタルがもたらす情報から離れることが必要だと考える。これが人間として

---

[26] AIと「理解する」・「わかる」ことへの磁力について詳しくは[山極 2020b]を参照。

の独創性、人間としての個性を生み、共感力を保ち、「つながり」を維持しながら社会を守る方法である。

もちろん、2020年2月から日本でも拡がり始めた新型コロナウイルスとの戦いが続き、人びとの身体的な接触を減らす必要がある現在では、情報機器の利用は不可欠である[27]。しかし、すでに何度も述べてきたように、「つながり」が確保できずに共感力が失われてしまえば、人間の社会は成り立たない。他者と引き離され、個人の利益を追求する「サル化」した社会になってしまえば、幸福な社会を築くことは難しい。

### 幸福は人と人との「つながり」があってこそ

2018年、歴史学者のユヴァル・ノア・ハラリは『ホモ・デウス』という著書のなかで、これからの人類がどうなるかを予言している［ハラリ 2018］。彼によると、20世紀までに人類は、飢餓と病気と戦争という大きな課題を解決しつつあり、21世紀の人類は老化と死の克服、そして幸福の達成に向かうという。たしかに、科学技術を発展させた人類は、すでにゲノム編集などによってさまざまな生物を創り出しており、「神の手」に近いものを得たと言っても過言ではない。そしてその科学技術の成果を人間自身に向けることで、不老不死の身体を求めていく。自然科学の進む方向としてこれは予想できる。

一方、ハラリが老化や不死の克服よりも難しいと考えているのが、幸福の達成である。幸福こそ、おそらく太古より人類が求めてきた果たせぬ夢であろう。それは科学技術のみでは得ることが難しいもので、その実現にはおそらく人の「つながり」が深く関係すると考えられる。なぜなら、人類はその歴史のなかで、信頼関係を結ぶ仲間の数を増やし、社会の力を向上させてきた。そしてその過程で芸術、産業、科学技術などを生み出してきた。それらを生んだ先に、多くの仲間の幸福とさらなる信頼があると考えてきたからこそ、それらを生み出す努力を続けてきたと思われる。つまり人類は熱帯雨林を出て以降、人の「つながり」のなかで幸福を感じるようにその歴史を歩んできたのである。

---

[27] 新型コロナウイルスは、人間の「つながり」を拡散の手段とする「したたかな」ウイルスである。人間が移動しやすく、集まりやすくなった現代に賢く適応している。これに対抗するには、過度な依存は避けつつ、情報交換や近況報告のためにスマートフォンなどの情報機器を賢く使いこなすことが有効である［山極 2020b: 190］。

人間社会が「サル化」の一途を辿り、人間がデジタルに過度に依存して共感力を失い、「つながり」をなくしてしまえば、人間の幸福はあり得ない。そのことは、新型コロナウイルスの蔓延によって接触と移動を禁じられ、「つながり」が奪われた期間のつらさ・苦しさが如実に証明しているように思う。

## 参考・参照文献


Aiello L.C. and Wheeler, P. (1995) "The Expensive-Tissue Hypothesis," *Current Anthropology*, 36(2): 199–221.

Bogin, B. and Bragg, J., Kuzawam, C. (2014) "Humans Are Not Cooperative Breeders but Practice Biocultural Reproduction," *Annals of Human Biology*, 41(4): 368–380.

Fleagle, J.G. (1999) *Primate Adaptation and Evolution*. Academic Press, London.

Jaeggi, A. V. and van Schaik, C. P. (2011) "The evolution of food sharing in primates," *Behavioral Ecology and Sociobiology,* 65: 2125–2140.

Kobayashi, H. and Kohshima, S. (2001) "Unique morphology of the human eye and its adaptive meaning: comparative studies on external morphology of the primate eye," *Journal of Human Evolution*, 40: 419–435.

Martin, R.D. (1990) *Primate Origins and Evolution: Aphylogenetic Reconstruction*. Chapman & Hall, London.

Sellers, B. (2000) *Primate Evolution*. 〈https://eclass.uoa.gr/modules/document/file.php/BIOL121/%CE%95%CE%A0%CE%99%CE%9B%CE%95%CE%93%CE%9C%CE%95%CE%9D%CE%91%20%CE%9A%CE%95%CE%99%CE%9C%CE%95%CE%9D%CE%91/PrimateEvolution.pdf〉

Yamagiwa, J. (2015) Evolution of hominid life history strategy and origin of human family. In: Furuichi T, Yamagiwa J, Aureli F (eds), *Dispersing Primate Females: Life History and Social Strategies in Male-Philopatric Species*. Springer, Tokyo, pp. 255–285.

Yamagiwa J, Tsubokawa K, Inoue E, Ando C (2015) Sharing fruit of Treculia africana among western gorillas in the Moukalaba-Doudou National Park, Gabon: Preliminary report. *Primates* 56: 3-10. DOI 10.1007/s10329-014-0433-3.

京都大学霊長類研究所［編］(2007)『霊長類進化の科学』京都：京都大学学術出版会。

スプレイグ、デビッド (2004)『サルの生涯、ヒトの生涯――人生計画の生物学』京都：京都大学学術出版会

竹ノ下祐二 (2015)「アフリカの森でともに生きるチンパンジー、ゴリラ、そしてヒト」『FIELD PLUS』14：6–7。

ダンバー、ロビン (1998)『ことばの起源――猿の毛づくろい、人のゴシップ』松浦俊輔・服部清美［訳］、東京：青土社。

中沢新一・山極寿一（2020）『未来のルーシー――人間は動物にも植物にもなれる』東京：青土社。

日本モンキーセンター［編］（2018）『霊長類図鑑――サルを知ることはヒトを知ること』京都：京都通信社。

ハラリ、ユヴァル・ノア（2016）『サピエンス全史――文明の構造と人類の幸福』〈上・下〉東京：河出書房新社。

ハラリ、ユヴァル・ノア（2018）『ホモ・デウス――テクノロジーとサピエンスの未来』〈上・下〉東京：河出書房新社。

ボイド、ロバート／ジョーン・B・シルク（2011）『ヒトはどのように進化してきたか』松本晶子／小田亮監訳、京都：ミネルヴァ書房。

水原洋城（1986）『サル学再考』東京：群羊社。

山極寿一（1996）「食物をめぐる競合と人類の進化――ゴリラとチンパンジーの食性の比較から」『日本咀嚼学会雑誌』6（1）：39-49。

――――（2008）『人類進化論――霊長類学からの展開』東京：裳華房。

――――（2012）『家族進化論』東京：東京大学出版会。

――――（2014）『「サル化」する人間社会』東京：集英社インターナショナル

――――（2015［2005］）『ゴリラ［第2版］』東京：東京大学出版会

――――（2016）「類人猿はなぜ熱帯雨林を出られなかったのか――人類進化の分かれ道を探る」『現代思想』44（22）：30-41。

――――（2018）『ゴリラからの警告――「人間社会、ここがおかしい」』東京：毎日新聞出版。

――――（2020a）「人類の終末は物語の消滅と共にやってくる」所収『未来創成学の展望――逆接・非連続・普遍性に挑む』京都：ナカニシヤ出版、321-331頁。

――――（2020b）『スマホを捨てたい子どもたち――野生に学ぶ「未知の時代」の生き方』東京：ポプラ社（ポプラ新書）。

山極寿一・小川洋子（2019）『ゴリラの森、言葉の海』東京：新潮社。

山極寿一・尾本惠一（2017）『日本の人類学』東京：筑摩書房（ちくま新書）。

山極寿一・鎌田浩毅（2018）『ゴリラと学ぶ――家族の起源と人類の未来』京都：ミネルヴァ書房。

山極寿一・丸橋珠樹・浜田穣・湯本貴和・ムワンザ＝ンドゥンダ（1988）「ザイール国キブ州に生息する霊長類の現状と保護の必要性について」『霊長類研究』4：66-82。

リーバーマン、ダニエル（2015）『人体600万年史――科学が明かす進化・健康・疾病（上下）』東京：早川書房。

ルーウィン、ロジャー（1993）『人類の起源と進化』山口敏［監修］、保志宏・楢崎修一郎［訳］、東京：てらぺいあ。

レウィン、ロジャー（1988）『ヒトの進化――新しい考え』三浦賢一［訳］、東京：岩波書店。

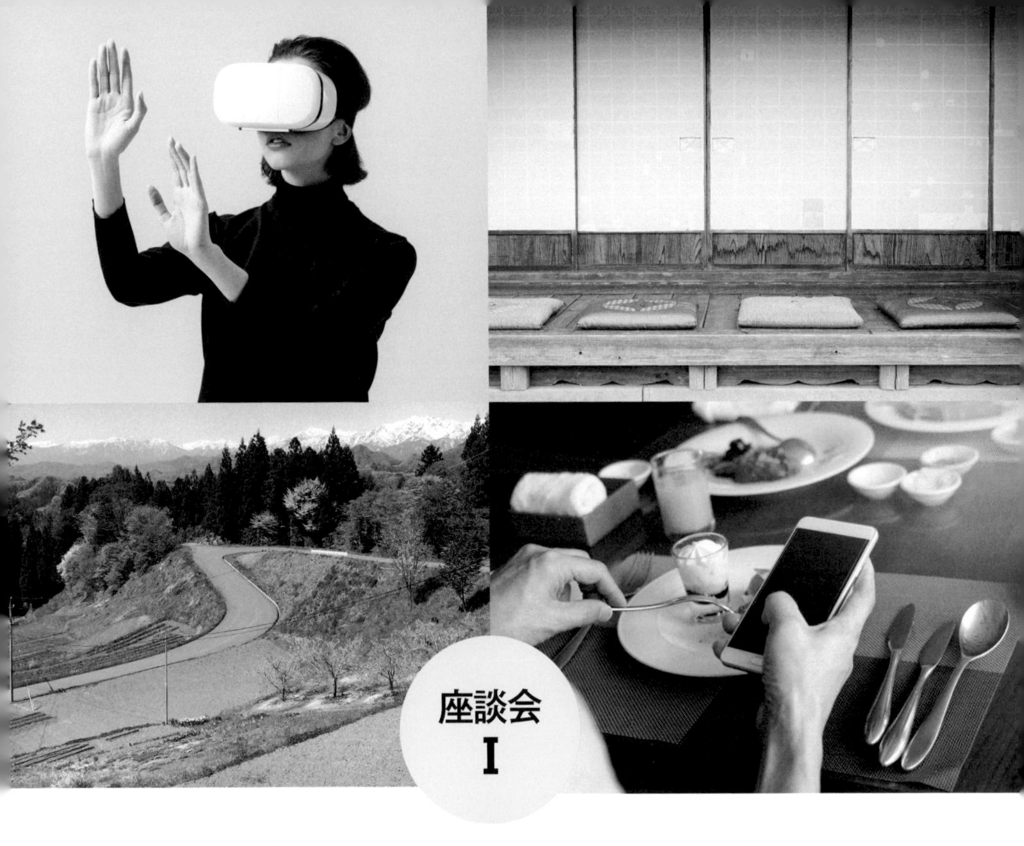

座談会
I

# 「つながり」の変容から考える日本の未来

## AI時代にも変わらない共有・共感の必要性

●参加者●

小河久志＋小西賢吾＋桑野萌＋山極寿一＋山田孝子

人間は、共食と共同の子育てを通じて時間と空間を共有し
共感を醸成し人と人との「つながり」を強化して
ともに助けあって社会を構築してきました。
AI時代が到来し、さらには感染症の蔓延によって身体的接触が制限されても
社会の根幹である「つながり」の重要性は変わりません

**小西賢吾**●比較文化学のテーマとして「つながり」を考えるにあたっては、「共感」と「信頼」がキーワードになると思います。世界の各地で暮らす民族や集団には、それぞれの規模に応じて共感や信頼を醸成するための多様な仕組みが存在します。たとえば宗教はその一つですし、集団で伝承される物語、世界観といったものも考えられます。こうした点を踏まえて、まずは日本社会における「つながり」の特徴と現状をどう捉え、どう変えていくべきなのか議論したいと思います。

## 「つながり」の成り立ちと自然観
## ——宗教と日本の「間柄」

**食と性が混じりあい築かれる「つながり」**

**山極寿一**●人間の「つながり」を考える際には、「食」と「性」という視点が重要だと考えています[1)]。この二つは長年にわたる私の研究テーマでもあります。これは人間が言語の使用を始めてからより顕著になった話かもしれませんが、おそらくその前から、食と性が混じりあう現象が出てきていたのではないかと私は考えています。人間の場合、食事は公の場所でなされるもので、性行為は隠れた場所でなされるものですが、それは両方とも人と人との「つながり」、人間関係を強固に作りあげる要素になっていたと思います。

食については、目の前の食物がなくなってしまえば集団内のコンフリクトは消えますが、性はもっと根深いですよね。異性をめぐる軋轢はなかなか解消されないし、食のように交換することも難しい。そういう現象のなかに食が紛れ込んでくるわけです。簡単に言ってしまえば、「睦まじく食事をしている男女はあやしい」という話があるでしょう。つまり性が覆い隠されれば隠されるほど、食が媒介する人間関係が性の領域に入っていくことになる。

---

1）食の社会化による「つながり」への影響については本書９ページからの山極寿一による論考を参照。

世界のさまざまな民族神話のなかに、人間を食べる話が出てきます。日本神話にも見られます。そして食べることと結婚あるいはセックスをすることとが、混じりあって出てくることが多い。さらにはそこに死も入ってくる。この死というものについて考えるのは人間だけで[2)]、これが宗教と関わりを持つのですが、おそらく人類の起源と食と性、死というものは、複雑に関係して混じりあっている気がします。

赤坂憲雄さんが食と性について書いた『性食考』という本のなかで私が印象に残っているのは、ヤマタノヲロチの話です。スサノヲが高天原から地上に下ってきて、おじいさんとおばあさんに会う。彼らは、「自分たちには８人の娘がいたが、ヤマタノヲロチに毎年一人食い殺されて、今年は最後に残った末娘まで食われようとしている。これを退治して、娘を守ってくれないか」と頼みます。スサノヲは「娘を私に献上するか」と言ってそれが受け容れられると、その娘を櫛に変えて髪に挿し、酒樽を用意してヤマタノヲロチを待って、酒で酔わせて８本の首を落とす。そのあと櫛の姿だった娘を元に戻して結婚する。

ここで考えてみると、おじいさんおばあさんにとってみれば、ヤマタノヲロチに娘を食われることと、異界から突然やってきたスサノヲに娘を嫁がせることというのは、じつは同じことだと言えます。つまり、食い殺されてしまうことと、結婚をする、セックスをすることとは、親にとっては同じ意味で、きれいに混じりあっているわけです[3)]。

## 生業の変化がもたらした自然との断絶と宗教

**山極**●異界という存在は宗教の根源だと考えられますが、それと食べる行為とは密接な関係があります。たとえば収穫祭というのは、食物を神様に捧げてその年の収穫に感謝して、そのお下がりをみんなでいただく儀式です。そこには必ず「神が食べる」という行為

2) 人間以外の生物が死についての意識を持っているか、弔いをするかどうかについては、本シリーズ第５巻『弔いにみる世界の死生観』41ページを参照。

3) 『性食考』ではこのほか、人食い鬼と料理の上手な少女が結婚して子どもをたくさん残す『ゼラルダと人喰い鬼』についても分析されている［赤坂 2017］。

があって、人間たちも同じものか、もしくは捧げたものをいただいて、神様と一緒に収穫を祝う。人類の歴史を振り返ると、「食」と収穫、豊穣、子孫が増えること、「性」とが結びつくなかで「つながり」が育まれ、定住するようになり、農耕・牧畜という食糧生産が始まる。その過程で生まれた宗教が「つながり」を強化したと考えられます。

**山田孝子**●そうですね。各地の民族や集団における「つながり」は、宗教や儀礼の影響を大きく受けていると思います。そしてその儀礼のあり方については、農耕民と牧畜民とのあいだだけではなく、狩猟をする民族のなかでも、世界各地で大きく異なります。たとえばアフリカのムブティ[4]の人たちについては、多様な霊的観念があるという報告はあまり見られません。そんな彼らの儀礼として観察されているのは、狩りに出かける前に火を焚くというシンプルな儀礼です。

熱帯と違い、北方では報告される霊的観念も多様です。イヌイット[5]の人たちには、「海にセドナという女神がいて、アザラシを送ってくれる」という神話の世界があって儀礼もその影響を受けます。また北方の世界では、人びとは自然のなかで暮らす動物を「霊的な動物」として見ます。しかも、人間も動物もまったく同じように考えていて差がありません。人間が動物になり、動物もまた人間になって魂を通わせる。

ですから、チペワイアン[6]のハンターは、森でコヨーテに出会い、銃をかまえたときに、コヨーテと対話することがあるそうです。そうして対話したときには撃たない。するとその後ずっとそのコヨーテが狩猟の成功をもたらしてくれたという話があります。北方に暮らす人たちにとって、自然は常に対話できる関係にあるわけです。

**山極**●極端に言えば、狩猟採集の時代には自然と人間とが対等な関係

4) アフリカ中央部、コンゴ民主共和国イトゥリの森に暮らす狩猟採集民。本シリーズ第3巻『祭りから読み解く世界』33ページ参照。

5) かつてエスキモーと呼ばれた極北狩猟採集民。本シリーズ第3巻『祭りから読み解く世界』35、39ページ参照。

6) カナダのサスカッチュワン州の北方森林帯で、狩猟、漁撈等により生計を維持してきた先住民。本シリーズ第4巻『文化が織りなす世界の装い』35ページ参照。

にあって、自然とまだ交流していたわけです。現在も狩猟で暮らす人たちは、そのコミュニケーションがとれている。ところが農耕・牧畜が始まると、それができなくなってしまった。言葉を使い始めたことが、その理由の一つかもしれません。

近年、興味深い研究が進んでいて、イヌの家畜化の開始年代がどんどん古くなっています。かつてはおよそ1万2,000年前の中国が起源ではないかと言われていましたが、3万年ほど前からではないかという研究もある[7)]。このころにはまだ農耕は始まっていませんから、狩猟のためにイヌを使い始めたと考えられます。一説には、人間がイヌを訓練するために言葉を洗練させたとする考えもあります。人間どうしで会話を始めた時期よりも、イヌに命令するために言葉を使った時期のほうが早かったのではないかと考える人もいるぐらいです。

確実なのは、そうした犬を使った狩猟や、野生動物と一対一で接するといったことから離れて、人間がコントロールできる動物を生み出し、あるいはコントロールできる植物を使い始めたことによって、自然と人間とは対等ではなくなるわけです[8)]。

さらには宗教が生まれると、とくにキリスト教では、人間は自然を支配する権利を神から与えられたと考えます。そうして農耕を始めたことによって、人間は自然とコミュニケーションがとれる対等な関係を捨てた。これが人類にとって大きな出来事だったと思います。

## 西洋の管理する思想と東洋のアニミズム

**桑野萌**●たしかにキリスト教の考え方では、「神の似姿としての人間が、神から自然界や動物などを管理する使命を与えられた」としています。この時点で自然との対等な関係は失われていますね。

---

7) イヌの家畜化の始まりについては、場所については東アジア説、中東説、南アジア説、ヨーロッパ説等があり、時期は1万5,000年～4万年前の後期旧石器時代とする説がある。これは農耕・牧畜開始前であり、イヌはある種の猟犬として使われていた可能性が高いと考えられる［藪田 2019：25-26］。

8) 野生動物の家畜化および野生植物の栽培化について詳しくは、本シリーズ第2巻『食からみる世界』40～57ページを参照。

カトリック教会でも近年では、人間関係や動物界、自然界なども含めた全体的なエコロジーが問題になっています。現教皇のフランシスコも「私たちの後に続く人びと、また現在成長しつつある子どもたちのために、私たちはいったいどのような世界を残していきたいのでしょうか」という文章が含まれた「ラウダート・シ」という回勅を出して、エコロジー問題に積極的に取り組んでいます。

教会の主張によると、神が人間に与えた使命とは、「神の描いた理想の世界を再現すること」です。私たちはその命に忠実に従うべきで、「世界の秩序を乱すことではなく、へたに自然に手を入れて管理することではなく、神が実現したかった世界を人間が道具となって実現する、その媒体が教会だ」という言い方をしています。

しかし、いまの話をうかがうと、そもそも自然と対等であることをやめてしまい、動物とコミュニケーションがとれなくなってしまった人間のあり方のままでエコロジーが実現できるのか、もとの世界を回復することは可能だろうかと疑問に思いますね。

**山極**●欧米人が考えるいわゆる狩猟というのも管理ですね。狩猟区を設けて、管理しつつハンティングをする。それはいま言われた、神から与えられた能力を使って自然を適正に管理するという思想に基づいていると思われます。そしてそれは日本も含むアジアのアニミズムの世界――「自然には神々がおられる」と考えて、どこか手をつけることをためらう考えとは異なります。ユダヤ教やキリスト教では、農耕・牧畜のために整理され管理されている区域に、その規制を犯して入り込んでくる動物たちは害獣であり、虫たちは害虫である。作物の病気は悪そのものである。だからそれとは戦うという考え方になっている。

自然観に関連してもう一つ興味深いのは、キリスト教が「陸の宗教」だと考えられることです。ギリシア神話の時代にはポセイドンがいましたし、海も神々のいる場所として崇められていたのですが、キリスト教、ユダヤ教の時代になると、海は悪魔の棲む場所になってしまった。それとは対照的に日本では、神さまは海にも山にもいて、それはずっと変わらない。この違いは大きいと感じます。

キリスト教のこうした考えは、たとえば大航海時代にもよく表れていると思います。海というのは、もちろん魚などの海産資源をもたらしてくれるかもしれないけれども、管理ができる場所ではない。悪魔の棲む場所です。だから航海の無事を神に祈りながら海を渡って陸をものにする。航海時代ではあっても、海域を求めているわけではなく、オランダもイギリスもポルトガルもスペインも、すべて陸とその産物を求めて海を渡る。漁場という話ではない。やはり農耕・牧畜という陸を制する話は、必然的に管理に結びついていくように感じます。

海のほかに西洋が制覇できなかったものとしてもう一つ挙げられるのが熱帯です。この地域はあまりにも混沌としすぎていて、彼らの管理する技術を大幅に上回っていたわけです。管理しようにも、その能力が及ぶ世界ではなかった。

## 矛盾する存在をつなぐ日本特有の「間柄」

**山極**●もちろん現在はグローバル化していますし、時代を経て変わってきてはいますが、管理可能な世界を徹底的にコントロールするという思想が、西洋の根底にあるように私は感じます。制御できるものは厳格に管理して、それが不能な悪魔の棲む世界は遠ざける。どちらか一方のみで、「あいだ」がない。

この「あいだ」、「間（ま）」の思想というのは日本独特のもので、欧米にはあまり見られません。西洋由来の二元論では、人間と自然とを完全に分けて理解します。「AでなければB」というような二律背反的なものです。しかし日本には、「あいだ」というものを介在させることによって、その矛盾を超越する発想が昔からありました。これは仏教から来た考え方かもしれません。

そうした日本人の思想が端的に表れているのが、神々が棲む自然と人びとが住む地域との「あいだ」にある里山という存在です。山や森という「ハレ（非日常）」と里という「ケ（日常）」との「あいだ」をつないでいるのが里山で、その風景はまだ日本の至るところに残っています。

この日本の「あいだ」の考え方は、人間の「つながり」にも当然影響していると思います。たとえば、「私とAは喧嘩をしているけれども、今日はBがいるからもめないでおこう」といった「つながり」はあり得ますよね。「あいだ」に入る存在がなければ一緒にはいられない関係でも、何かが「あいだ」となってつなぐことがある。「あいだ」となるのは人間でなくてもいいわけです。仏であっても、動物であってもいい。そういう「あいだ」がさまざまな場面で顔を出すような「つながり」が、日本の文化にはあるように感じます。

**小西●**西洋における「つながり」について考えていて気になったのですが、「つながり」は英語でどう表現するのでしょうか。“connection”なり“relationship”と訳しても、しっくりこない感じが残りますね。

**山田●**私自身は、「つながり」の英訳としては“connectedness”がふさわしいと考えています。この“connectedness”については、ヴィクター・ターナー[9]の妻のエディス・ターナーがイヌピアット[10]の宗教と生態との関係を論じた論文のなかで、自然も宇宙も人びともすべてがつながっているようすを描くのに使っているのを読んだことがあります［Turner 1994］。以前、多文化空間に生きる越境者の共同性再構築をテーマに共同研究を行ったとき、共同性を「つながりあうことと協働すること」をイメージして捉えるところから出発したのですが、共同性の英訳として“connectedness”を使いました[11]。今回テーマとして取り上げている「つながり」も、単に連結しているということではなく、「つながりあって、協働しあう」ことまでも含んでいますから、やはり“connectedness”が日本語での「つながり」を表すのにも合っ

---

9) イギリスの文化人類学者。とくに儀礼について多くの著作を残している。本シリーズ第3巻『祭りから読み解く世界』26、34ページ参照。

10) アラスカ北西地域に暮らす先住民。狩猟、漁業、捕鯨をすることで知られる。

11) この共同研究の成果はYamada & Fujimoto［2016］としてまとめられている。

**▶写真1　縁側**
家の内側と外側との「あいだ」に位置するのが縁側である。時に内でもあって外でもある存在であり、西洋には見られない。また障子というものも、部屋と部屋とのあいだを区切りながら音は通すという日本に特有のものである

た英訳ではないかと思っています。

**山極**●「あいだ」については、英語で何と訳すのがいいでしょうか。

**桑野**●和辻哲郎[12]の言う「間柄」について、英語では "betweeneth" と訳されていましたね。

**山極**●「あいだ」というのは、つまり「どちらでもない」部分です。フランスの地理学者で、和辻哲郎の『風土』についての著作もあるオギュスタン・ベルクさんは、その「あいだ」の例として縁側を提示しています［ベルク 2017］。いまでは古い日本の家屋でしか見られなくなりましたが、縁側というのは、外と内とも言える部分です。これは日本人の「あいだ」の思想を建築に表現したものだとベルクさんは言います。縁側では、外から来た人とその家に暮らす人とが一緒に坐って、お茶を飲んだり世間話をしたりする。あのような存在は、彼の知る限りでは、他の国にはないそうです。これが日本における「つながり」のあり方にも大きく関係をしているのではないかと私は思います。

**桑野**●そうですね。たしかに「あいだ」という考え方は、スペインや

---

12) 兵庫県出身の哲学者・倫理学者。京都大学、東京大学の教授を歴任。ハイデガーの『存在と時間』に触発されて『風土――人間学的考察』を著した。『古寺巡礼』、『日本精神史研究』、『日本倫理思想史』などの著作でも知られる。

イタリアではあまり見られない考え方だと思いますね。

**小西●**人と人との「つながり」というのはまさに「あいだ」の話ですから、縁側という存在は、日本人の「つながり」に対する考え方、また現在の日本における「つながり」について考えるきっかけになりますね。

## ＡＩ時代における身体接触の減少と五感の仮想化による共感の欠如

**山極●**日本の「つながり」の独自性を踏まえたうえでその未来を検討する際には、AI（artificial intelligence）の存在について考えることを避けて通れないと思っています。すでにある程度進んでいますが、今後ますますAIによって人間の仕事が代替されていき、ネット社会化が進行すると考えられます。ネット社会とこれまでの伝統的社会との最大の違いは、「しがらみがない」ことです。そこに入るときも出るときも、面倒な手続きは不要です。出入りしやすくなりますから、小さなコミュニティが、さまざまなところで次々と立ち上がっては消えてゆく。出自は関係なく、入りたければ入ればいいというバーチャルな「つながり」が主流になってゆくのではないかと考えています。私はあくまでも身体的な「つながり」、言葉によらないコミュニケーションを重視していますが、新型コロナウイルスの感染拡大に伴う移動制限や外出自粛要請[13]は、その流れに拍車をかけたように思います。

**AI的人間の誕生と増加——読解力の著しい欠如**

**小西●**AIがさらに発達し、ネット社会化が進むことは間違いないと思いますが、気になるのは、AIが人間の欲望を完全にコントロールできるかどうかという点です。現在でも、通販サイトで何か一つ注文すると、それに基づいて次々とこちらの好みに合うものがサジェス

[13] 2020年の新型コロナウイルスの感染拡大に関わる日本と各国の対応については、本書137ページからの山田孝子による論考も参照。

チョンされて出てきます。そうして知らないうちに操られてしまう。その延長線上で、果たして人間の欲望をどこまで操作できるか。ここに「つながり」が大きく関係すると私は考えています。つまりAIによるコントロールに囚われにくい欲望として、「あの人に会いたい、ふれたい、そばにいたい」というバーチャルではない「つながり」を求める願いが挙げられると思います。新型コロナウイルスの蔓延に伴う外出自粛要請への人びとの反応は、そのことを強く感じさせました。

**山極●**人間がどこまで個性に執着するかがポイントになると思います。"*Homo informatics*"という言葉があるように、人間というのは情報的ですね。おいしいレストランがあると聞けば、みんなこぞってワッと行ってしまう。日本人なら多くの人がクリスマスを祝って、正月には由来の知らない混みあう神社に行ってお賽銭を投げる。(笑) とかく人間というのは流されやすいんですよね。ですから、ひょっとすると将来的には、「もう面倒くさいから自分で考えるのをやめて、AIの勧めるとおりに動こうか」みたいな話になるかもしれません。

しかし、現状のAIが持っているのは、ただ情報の検索が速いというだけの機能です。ですから、たとえばAIに「京都でいちばんおいしいイタリアン・レストランはどこか」と訊ねると、ある店の情報を出してきます。ところが次に「京都でいちばんまずいイタリアン・レストランはどこか」と訊ねると、まったく同じ店を出してくるそうです。AIは、「京都／イタリアン・レストラン／おいしい」といったキーワードに関連するデータを探して、情報の合致率が高い店を表示します。しかし、「まずい」を含むデータというのは量が少ない。そこでその他のキーワードと合致するところを探した結果、同じ店を提示してしまうわけです。ある単語が使われていたり関連づけられたりしている情報を瞬時に探し出し、それを示すだけです。つまり文章の意味をまったく理解していない。それが検索エンジンでありAIです。

国立情報学研究所の新井紀子さんが、東京大学に合格できる知能を持たそうと研究している「東ロボくん[14]」を開発しているときに、ふと思いついて、現在の日本の小中学生や高校生がAI的になっているのではないかと調べたら、そのとおりだったそうです。つまり文章を読まずに単語だけを見て、あとは自分の経験に基づいて、単語の順序で文意を判断してしまう。能動態とか受動態ということは考えない。たとえば、「幕府は、1639年、ポルトガル人を追放し、大名には沿岸の警備を命じた」という文と、「1639年、ポルトガル人は追放され、幕府は大名から沿岸の警備を命じられた」という二つの文を提示します。そして「この二つの文章の意味が同じか違うか答えよ」と問うと、中学生の正答率は60%以下だったという調査があります。並び方が同じだから同じ意味だと思ってしまう。我々の感覚からするとあり得ないだろうと思いますが、文章を読まずに単語の並びで判断しているからそうなってしまう。これはAIと同じ状態です。

**山田**●それで新井先生は、「現状のままで進んでもAIでは東大には受からないことがわかった」と言っていましたね。

**山極**●たしかセンター試験の模試で、多くの私立大学や国公立大学については合格率が80パーセント以上になったと記憶しています。しかし文章の読解力はまったくなかったようですね。

**山田**●新井先生は、AI的な思考にならない教育を小学校のうちからしないとだめだと気がついて、小学校の先生たちに教育法のモデルを提示して、どのように教えるべきかを伝えていました。これからの教育で重要な観点だと思います。

**山極**●そのとおりです。きちんと日本語の読解力を身につけさせる必要があると思いますね。

**山田**● AIが示しているのは、あくまでも単語の検索能力と演算速度の最先端です。私たちはその限界を押さえたうえで、逆にその能力が

---

[14] 東京大学の入学試験突破を目標に2011年から国立情報学研究所を中心に進められているプロジェクト「ロボットは東大に入れるか」で開発されている人工知能およびアルゴリズムの総称。2021年度の入試突破を目指している。

活かせる分野でうまく使いこなす方向に持っていくことが大切ですね。難しいことですが。

## 想像力の低下と鈍化――脱デジタルへの誘い

**小西**●いま学部生を教えていて、「こうしたら読めます」というかたちで読み方を伝えて読解力を身につけてもらうことは難しいと痛感しています。こうした力は、学校で教わって身につくというよりも、普段の人間関係のなかで、文脈を読み取るとか、同じ言葉でも場面によって意味が異なる世界を知るといったことで培われる気がします。現在の小中校生の頭がAI化しているということであれば、それは人間が歴史のなかで築いてきた意味世界が狭まっていることを示しているように思います。

**山極**●そのもっとも典型的な例が、道徳をルールで教えるという話です。現在の小学校で行われているのはみんなそうですね。本来なら道徳は身体化しないといけないわけですが、ルールとして覚え込ませようとするからまったく身につかない。「こんなことをしたら人がひどく傷つく。腹が立つ。取り返しのつかないことが起こる。だからしないように」という教え方ではないわけです。「こういうルールがあるから守らなくてはいけない」と、ルールとして教えている。

昨今たくさん報じられますが、寿司屋でネタをゴミ箱に投げ入れる動画や、食材を炒めているコンロの燃え上がった炎でタバコに火を点ける動画などをSNSで発信して、大問題になることがありますね。あのような行動は、その映像を一般の人が見たときに、どれほど心を逆なでされるかという想像ができていないから、してしまうのでしょう。

現代の道徳のありようは、かつてとはまったく異なるかたちになってしまっています。それには共同体という「つながり」の変化が関係している。もともと道徳が効くのは、同じ価値観を持つコミュニティの範囲内です。実例が必ず身の回りにあって、後ろ指をさされたり笑われたり、批判にさらされたりする人を見て、あるいは噂話で聞いて、

「あんなことをしたら厳しい批判を受けるんだ」と思いながら道徳を身につけてきたはずです。ところが、個人の共同体との関係が希薄になり、多様な価値観も流入して、何を判断基準にするかが難しくなった。宗教の力が弱まったことも大きな原因でしょう。そうして現代の道徳は言葉によるルールの記憶になってしまったということですね。

さらには、あの問題となった動画を発信する際に本人が想定していた範囲は狭いもので、日本中に広がることは意識していなかったようです。動画や画像はインターネットやテレビのなかの話で、自分の身の回りには関係ないなどと考えてしまう。これもまた心配です。

**小河久志**●「こういう行動をしたらどうなるか」をきちんと考えることができる想像力というものの存在は大きいですよね。

**山田**●嫌がるようすを直接見たり、嫌がる声を直接聞いたりするなど、感覚的にわかる範囲であれば、限度を超えずに収まるのだと思います。しかし、身体感覚に訴えてこないものに関しては、感じとれなくなっている。そうして発信してしまったものが大きく広がる。

**山極**●それもあって私は脱デジタル社会を訴えているわけです。映像や文字などに情報化してしまうと、囲い込むことができません。必ず人の手を離れて拡散します。言葉を文字化する前、生の声として発する段階では、それは時間軸に沿って動くものですから、まだ拡散を止める手立てがある。ところが、文字化したり録音・録画されてデジタル化されたりすると、熟慮が足りない情報が誰もが手に入れられるものとして広範囲に拡散してしまう。そこが問題だと考えています。

## 身体接触の減少と仮想的「つながり」の重視

**山田**●いつも感じていることですが、子どもが育つ過程で、もっと人とふれあう期間が必要ではないかと思います。もちろん新型コロナウイルスなどの感染症が蔓延するなかでは対策は必要ですが、コロナ禍以前から、日本の子どもたちの人との接触が極端に減っている。小学校の低学年までは、まだ取っ組みあいなどもしますが……。

**桑野**●いや、最近は幼児の段階でも少なくなってきたように思えます。

**山田**●子どもたちを見ていても、幼稚園のころは取っ組みあって喧嘩するとか、接触する時間がまだあるように感じましたが、小学校に入って高学年にもなると、なくなっていきますね。しかも家族だけとしか密な接触をすることがなくなっていく。たとえば習い事に行けばそこで誰かに会うこともあるかもしれませんが、そこでも密な関係を築くことはなく、そのまま成長する。そういう子どもたちは、人と対面してふれあうなかで感じ取ることを自分の身体感覚として得ないまま大人になってしまう。ふれあうことで相手の痛みを知ることもない。

**桑野**●現代では、家族内のふれあいも、あまり重視されなくなっているかもしれませんね。

**山田**●たとえ家族内ではふれあいがあったとしても、それだけでは不十分で、人間はみな社会という家族を超えた「つながり」のなかで生きていかなければならないわけです。家族以外の共同体のなかで他人とふれあい、子どものときはよくわからずとも交渉・干渉を繰り返すなかで学ぶ経験は、社会で生きていくうえで必須だと思います。

## 食と子育てという時間と空間の共有が育む社会

**桑野**●いまは多くの人がスマートフォンを持っていて、どこに行っても家族どうしで向きあわずにスマホと向きあっている。すごく不思議ですね。せっかく一緒に食事に来ているのに、それぞれが画面ばかり眺めている光景はよく見かけます。

**小河**●我が家も娘がやりますが、さすがに止めます。(笑)

**山極**●それはバーチャルな「つながり」、脳でつながる関係のほうが、目の前の「つながり」よりも大事になってきたことを示しているのだと思います。友だちといても、本当の親友はそこにいるのではなくて、他のところにいる。そちらのほうが大事だからスマホを通してつながって、でも、目の前の相手には体裁だけつけておく。

家族とコミュニティというのは食と子育ての共有で成り立ってい

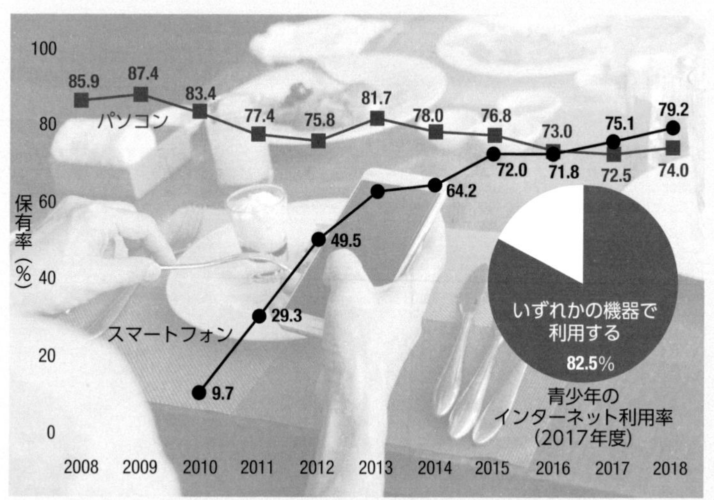


◀ **図1**
**スマートフォンとパソコンの保有率**
2018年時点で8割近くの世帯がスマートフォンを所有している。個人保有率は64.7%。また2017年度の調査で青少年（小学生1,016人、中学生1,309人、高校生942人）のうち82.5%がインターネットを利用している〈保有率は令和元年版情報通信白書「情報通信機器の保有状況」、利用率は「平成29年度青少年のインターネット利用環境実態調査調査報告（速報）」より作成〉

ると私は考えていますが、じつは食の共有というのは、もとをただせば空間的な共有なんですね。食物というのはさまざまな場所から来るわけです。あちこちに出かけて行って、獲物を捕まえて、植物を採取して持ち帰って、そこに人が集まって共有する。一方で、子育ての共有は時間の共有です。子どもが成長するようすを、時間を分担しながら見守るという共有なんですね。この二つの次元を分担したことが、社会的な力になっていたのだと思います。

いま科学技術は、その両方の次元について超越をもたらそうとしているわけです。食事の場で会話をするでもなくそれぞれのスマートフォンを見ているという行動は、空間の共有を、まったく別の次元で始めたということを意味します。集まった食物を話題にせっかく空間を共有できる機会なのに、それをしなくなってしまった。

この問題には、食物の出自がわからなくなってきていることも関係していると思われます。かつて人びとの体は、その土地の食物でできていたわけです[15)]。野生動物は現在でもみんなそうです。ところが

---

15) 人をかたちづくる食の多様性と地域との関わりについては、本シリーズ第2巻『食からみる世界』参照。

いまは地球の裏側から食物がやってきたり、どこかわからないところで作られたものが食卓に並びますから、人間の体は由来のわからないもので構成されている。だから、なかなか話題にしづらいのです。かつては作られ方から由来から、食物を話題にしながら空間を感じながら共有できた。しかし、それが断たれてしまった。

人類は進化の過程で直立二足歩行になって、長い距離を歩いて食物を探して運んでこられるようになり、食物の分配と共食を始めた。これが他の類人猿との決定的な違いです。類人猿はその場で食べます。人間は運んできて、しかも仲間と分ける。食料を待つ側の人間は、その食物がどこで採集・捕獲されて、現状どんな状態になっているのかがわかりませんから、運んできた仲間を信頼するしかない。一方で運んできた側は、食物を集めるときに、待っている仲間の人数を考え、その期待を想像している。こうして食を通じて想像力や共感力を育み、信頼を培ってきたわけです。しかし、いまやそれを支えていた食の共有が失われつつある[16)]。

子育てについても、自分の時間を子どもに与えて、子育てをともにする人と時間を共有しながらそれを楽しめたわけです。しかし、時間を短縮するために、それを労働にしてしまった。これがまず問題です。労働であれば効率を求め、対価も求めます。しかし、子育てというのは本来は「自分の時間を使ったから、その分の給料をください」という話ではないんです。子育ての時間を共有することで、じつは子どもというどんどん変わっていく生き物を共有するわけです。その認識が変わってしまった。そこが大きな問題だという気がします。

## 「つながり」に**必要**なのは**理解**ではなく**共有**

**小西**●バーチャル技術がさらに進むと、AI的なもの、デジタル的なものが、視聴覚以外の領域にも侵入してくる可能性がありま

16) 直立二足歩行の開始と食の採集・運搬・分配が人類史に果たした役割については、本書9ページからの山極寿一による論考も参照。

すね。たとえば触覚については、もう実現できそうです。リアルな質感がバーチャルで体験できて、ゴーグルをかければ現実とほぼ変わらないものにふれられるような技術が開発されると思います。そうなるとどんな社会になって、どんな「つながり」になるのかと考えます。

**山極**●近年では、匂いについてもバーチャルで再現する研究がかなり進展してきましたからね。いずれ作れると思いますよ。

でも、バーチャルでもリアルにふれているような感覚は再現できるかもしれませんが、共有できるかどうかが重要です。触感も匂いも、本物と同じように再現することは現段階でもある程度できています。けれども問題は、それを人と共有できるかどうかなんです。作れるということは、その成分や構造がわかっているということですね。でも、それは共有できることとは違うわけです。

誰かと一緒に何かを見ている状況であれば、見るという行為とともに、指をさすこともできる。だから、子どもがしゃべれるようになったばかりのころ、よく「お母さん、見て見て」と指をさして言いますね。「一緒に見る」という行為が、まずは共有につながる。「一緒に聞く」ということもそうです。

一方で、じつは「一緒に食べる」という行為はできません。「一緒のものを同じ空間のなかで食べる」ことはできますが、「一緒に食べる」ことはできない。つまり、同じ口になることはできないですよね。だから、誰かと一緒に同じものを食べていても、相手がどんな味を感じているかをわかること、理解することはできないわけです。

**小西**●そこがわからないこそ、共感につながるわけですね。つまり、目の前の人が同じ食物を食べていても、それを同じ味に感じているかどうかは究極的にはわからない。けれども、同じものを食べていること自体が共感につながる。

**山極**●たとえ同じ食材を使って同じように作って、食物の組成が同じであっても、身体の生理が違えば、味わいは当然違うわけですからね。

**小西**●同じものが見えているという保証もないわけですね。だけれども食事のときには、同じものを見て、指をさしたり、どこから来た食材でどんな味かを話しあったり、互いの表情の変化を見たりしながら食べることで、何かを共感し共有できる。

**山極**●ですから、いくら味や匂いをバーチャルで同じように再現しても、離れた場所でそれを味わったり嗅いだりしても、「共有した」という感覚にはなかなか至りません。先ほども言ったように、共食というのは空間の共有なんです。

やはり、「共感する」ことと「理解する」こととは大きく違う。「理解する」事柄については、今後もどんどんデータ化が進むでしょうし、バーチャル技術による再現もされていくと思います。しかし、それが「共有できる」かどうか、「共感できる」かどうかというのは、まったく別の問題という気がしますね。

**山田**●共有、共感という「つながり」については、AIなどの科学技術がどれだけ進展したとしても、代替はできないし、その重要性は変わらないということですね。どんな時代になっても、共食の場などを通じて「つながり」を育み、維持していく必要性があるし、そうすることが人間が安心して暮らせることにつながるという事実は変わらないのだと思います。

## 参考・参照文献

Turner, Edith（1994）"The Effect of Contact on the Religion of the Inupiat Eskimos", in Irimoto, Takashi and Takako Yamada (eds.), *Circumpolar Religion and Ecology: An Anthropology of the North*, Tokyo: Tokyo University Press, pp. 143-161.

Yamada, Takako and Toko Fujimoto (eds.)（2016）*Migration and the Remaking of Ethnic/Micro-Regional Connecttedness*, Senri Ethnological Studies No. 93, Suita, Osaka: National Museum of Ethnology.

赤坂憲雄（2017）『性食考』東京：岩波書店。

新井紀子（2018）『AI vs. 教科書が読めない子どもたち』東京：東洋経済新報社。

太田光／山極寿一（2019）『「言葉」が暴走する時代の処世術』東京：集英社（集英社新書）。

総務省（2019）「第２部 基本データと政策動向」『情報通信白書令和元年版』〈https://www.soumu.go.jp/johotsusintokei/whitepaper/ja/r01/html/nd232110.html〉

内閣府「平成29年度青少年のインターネット利用環境実態調査調査報告（速報）」〈https://www8.cao.go.jp/youth/youth-harm/chousa/h29/net-jittai/pdf/sokuhou.pdf〉

ベルク、オギュスタン（2017）『理想の住まい――隠遁から殺風景へ』京都：京都大学学術出版会。

藪田慎司（2019）「イヌはなぜ吠えるか――牧畜とイヌ」大石高典・近藤祉秋・池田光穂［編著］『犬からみた人類史』東京：勉誠出版、24-45頁。

山極寿一（2018）「この科学本が面白い！『性食考』」『中央公論』2018年4月号、254-255頁。

山極寿一・小原克博（2019）『人類の起源、宗教の誕生――ホモ・サピエンスの信じる心が生まれたとき』東京：平凡社（平凡社新書）。

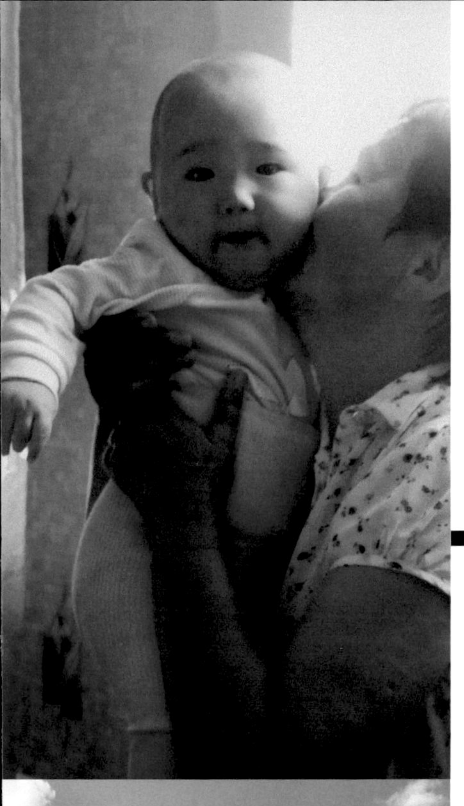

# 移動する人々のつながり

## カザフ草原に生きる家族の事例から

藤本 透子

## 1 草原の暮らし――移動のなかで育まれたつながり

私たちは、日々誰かとのかかわりのなかで暮らしを営んでいる。人と人とのかかわり方には普遍性があると同時に、各地域で営まれてきた暮らしに根差した特徴が見られる。本稿では、中央アジアの草原地帯に暮らすカザフ人❶の社会を事例として、移動性の高い人々のあいだのつながりについて考えていきたい。

ユーラシア大陸北部には、ツンドラ、タイガ、ステップ、沙漠とオアシスなどが分布する。ステップは、モンゴル高原から中央アジアのカザフ草原を経て東欧まで至る温帯草原である。ステップの年降水量は約300～400ミリで、全体的に乾燥しており、寒暖の差が激しい。カザフ草原は、現在のカザフスタン❷の大部分を占めているが、気温は冬季には－35℃以下に達し、夏季には35℃以上まで上がる。

人類はアフリカで誕生してから世界各地に長い時間をかけて広がっていく過程で、自然環境に適応しながら多様な社会を築いてきた。ユーラシアのステップに人類がいつどのように進出したのか明確にはわかっていないが、最初は移動しながら狩猟採集の生活を営んでいた。家族を形成し、さらに複数の家族を含む共同体を作って生活するという人類に特徴的な形態は、狩猟採集時代に確立されたと考えられている［山極 2012：317］。

西アジアでムギが栽培化され、ヒツジやヤギが家畜化されると、定住して農耕と牧畜を営む文化が成立して、中央アジアにも伝播した。さらにウマが家畜化され、紀元前1000年前後に気候の乾燥化が進むと、ステップで季節移動しながら牧畜を行う遊牧民が生まれた［林 2012：172－188］。つまり、いったん定住生活が営まれるようになった後に、移動性のきわめて高い生活形態が生み出されたことになる。ウマに乗って速く広範に移動できるようになったユーラシアの遊牧民は、離合集散を繰り返しながら国家を築いた。そのなかで、中央アジア

---

❶テュルク系諸民族のひとつ。現在のカザフスタンを中心に、中国、ウズベキスタン、ロシア、モンゴルなどにも居住する。伝統的には遊牧に従事。スンナ派のムスリム（イスラーム教徒）。

❷カザフスタンは、1991年にソ連から独立した。日本の約7倍の国土を有するが、2020年6月1日時点の人口は約1,874万人で日本の約7分の１である。民族構成（2016年時点）は、カザフ人66.5%、ロシア人20.6%、その他の諸民族が12.9%である（カザフスタン共和国経済省統計委員会ＨＰ）。

**▲写真1 カザフ草原**
モンゴルから東欧に至る草原地帯の一部をなす。歴史的に遊牧民の活躍の舞台だった

最後の遊牧国家となったのがカザフ・ハン国(15～19世紀)であった。

遊牧という生業形態のもとで人口密度は低くおさえられるが、広大な地域で人々はどのようにつながりを保ってきたのだろうか。また、近代以降には遊牧民の強制的定住化が広く推進され、近年ではさらに定住村落から都市への人口流出も生じているが、こうした変化に人々はどのように対応してきたのだろうか。

家族が移動しながらつながり❸を形成し共同体を維持していく仕組みについて、中央アジアのカザフ草原の事例から検討していきたい。カザフスタン北東部の村(パヴロダル州バヤナウル地区サルセンバエフ村管区ウントゥマク村)で、筆者は2002年から調査を行ってきた❹。以下では、カザフ人の家族と親族の特徴を概観した上で、牧畜をめぐる世帯間の協働にふれ、近年の変化として都市への移住をとりあげる。次に、つながりの形成と維持について共食の場に着目して述べ、世代を超えたつながりが模索されていることを指摘する。なお、本稿は主に2019年までの調査に基づくが、2020年に新型コロナウイルス感染症が広がったことの影響についても最後にふれる。

---

❸ 人と人との関係性という広い意味で「つながり」という語を用いる。カザフ語では*qatïnas*という語が、「関係」、「つながり」を意味する。

❹ 村管区名と村名は仮名である。2016年～2019年の調査は、科研費JP16H06411、JP16K02028、人間文化研究機構北東アジア地域研究プロジェクトの一環として行った。

## 2 移動のなかで意識されてきた父系出自と親族・姻戚カテゴリー

カザフ人の家族はオトバス（*otbasï*）[5]と呼ばれ、夫と妻と子どもの二世代からなる核家族か、あるいは夫の両親も含めて三世代が同居している直系家族の場合が多い。遊牧していた時代には、カザフ人は「キィズ・ウイ（*kiíz üy*, フェルトの家）」と呼ばれる天幕に暮らしていた。天幕の中央には炉が設けられ、その真上の煙出しと採光を兼ねた窓の木枠をシャヌラク（*shanïraq*）という。シャヌラクは家族の象徴であり、両親から受け継いだ天幕は特にカラ・シャヌラク（古いシャヌラク）と呼ばれる。この言葉は、定住家屋に暮らすようになった現在も、祖先から引き継がれた家を指して用いられている。

息子たちは、長男から順に、結婚後に財産を分与されて独立した世帯をかまえ、最後に残った末息子が両親の家を相続する。ただし、これは理念形で、実際には末子でなく別の息子が結婚後も両親と暮らすこともある。娘はやがて嫁ぐ存在であり、「娘はお客」（やがて家を去り嫁として働くことになるので未婚のうちは客のように大切にする）という表現がある。結婚によって女性が男性の家に暮らすようになる夫方居住が一般的であり、妻方居住は稀であまり好まれない。父系の血筋が重視されるため、娘しかいない場合は夫の兄弟の息子など父系親族を養子に迎える。子育てにおける特徴として、初孫は父方祖父母の子どもとして育つ習慣があった。初孫は父親を「兄」、母親を「兄嫁」と呼び、父方祖父母を「父」、「母」と呼ぶ。筆者が住ませてもらっていた家では、1990年代に生まれた子どもまではこの習慣が受け継がれていた。現在でも、祖父母、特に祖母が孫の世話をしていることは多い。

カザフ人の名前は、もともと自分の名前に父の名前をつけたものだったが、ソ連時代に「姓」が導入されると、祖父や曽祖父の名前にロシア語風の語尾をつけて姓とした。例えば祖父の名がアフメトの場合、男性はアフメトフ、女性はアフメトヴァなどと名乗る。世代を経るにしたがって、その人にとっての祖父の名を新たに姓とするなど、同じ一族でもしばしば姓が変わることがある。つまり、姓にも系譜が刻まれていくことになる。結婚により、女性は夫と同姓を選ぶ場合もあれば、別姓のまま残ることもある。法律上、夫婦の姓を統一す

---

[5] カザフ語の転写は、『中央ユーラシアを知る事典』に従う［小松他 2005: 592］。

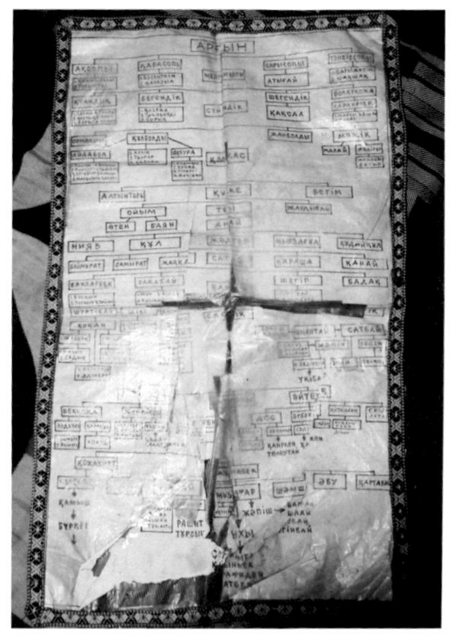

**▲写真２　系譜**
カザフ人の父系の系譜は口頭で伝承されてきたが、現在では紙に書かれるようになっている

**▲写真３　結婚式の一場面**
花嫁が花婿の両親や親族にお辞儀を繰り返した後、スカーフがよけられ花嫁がお披露目され祝福される

る必要がないためだが、もともと父系出自は結婚しても変わらず、姓がカザフ人にとって比較的新しい習慣であることが影響していると考えられる。

カザフ社会では、姓以上に重要なのは、「ルゥ（*ru*）」と呼ばれる父系クランである。これは複数の家族を含む集団で、このなかでは家族の範囲を超えて助け合うべきとみなされている。ルゥは分節的な体系をもち、父系クランが複数のサブクランに分かれ、さらにリネージ[6]に分かれる。カザフ人は、初めて会うとルゥを尋ね、相手の帰属を確かめる。

特に父系７世代までの範囲で共通の祖先がいる場合は、下位レベルでのルゥ、すなわち父系リネージの人々は互いを「近親者」とみなして結婚しないという外婚制の規範がある。必然的に他の父系リネージの人と結婚しなければならないので、結婚によってルゥどうしが連帯する（婚姻連帯）。女性のルゥは結婚後も変更されず、ルゥどうしを結びつける役割を果たすことになる。外婚制と婚姻連帯という仕組みは、カザフ人が年間数百キロから1,000キロに及ぶ距離を季

❻ 系譜関係をたどれる場合はリネージ（lineage）、たどれない場合をクラン（clan）という。クラン内部の下位集団をサブクラン（sub clan）と呼び、サブクランはさらにリネージに分かれる。

節移動していた遊牧民であったことと関係していると考えられる。季節によって居住地が変わっても、父系の出自と系譜が認識されることで集団が維持され、結婚によって集団間の関係も形成されてきたのである。

父系の出自の認識を軸として、主要な親族・姻戚カテゴリーとして3つのジュルト(*jŭrt*)がある。オズ・ジュルトは「自分と同じ集団の人々」という意味で自分の父系親族とその配偶者、ナガシュ・ジュルトは母の父系親族とその配偶者、カイゥン・ジュルトは妻(または夫)の父系親族とその配偶者を指している。つまり、自分、母、妻(または夫)という3つのルゥに属する人々が重視されている。このように血縁や婚姻をとおした関係で結びつき、移動しても広範なつながりを保つ仕組みが作られてきたといえよう。

## 3 定住地で地縁を築いた後の牧畜をめぐる協働

次に居住集団の編成について検討する。カザフ遊牧民のキャンプは、アウル(*auïl*)と呼ばれていた。アウルとは、土地そのものを指すのではなく、「人がある地点に集まって暮らしている状態」を指す。アウルは父系親族である数世帯によって形成されることが多かった。また、移動するルートや利用する放牧地は、ルゥごとにおおよそ決まっていた。

しかし、ソ連時代に社会主義に基づく近代化政策の一環として、カザフ遊牧民の定住化が強制的に行われた。この政策に基づいて1920年代以降に形成された定住村落もアウルと呼ばれている。定住村落はかつての遊牧民のキャンプよりもはるかに規模が大きく、複数のルゥに属する人々が集住している。定住村落には学校、役場、集会所が設けられ、学校の同級生、職場の同僚、近隣の友人との関係など、地縁に基づく関係が新たに生まれた。

遊牧していた時期にも定住化以後も、アウルの基本的な機能は牧畜をめぐる協働である。旧ソ連時代、社会主義体制下では国営農場が生産単位であったが、カザフスタン独立後の1990年代後半以降は、世帯が牧畜を行う単位となっている。筆者が調査してきたウントゥマク村では、2019年7月1日時点の人口は620、世帯数は134である。飼われている家畜はウマ、ウシ、ヒツジ、ヤギである❼。ニ

❼カザフスタン南部では、これに加えてラクダも重要な家畜である。

ワトリやアヒルを飼っている家もある。1世帯当たりの平均家畜頭数は、ウマ10.1頭、ウシ27.6頭、ヒツジおよびヤギ35.5頭、家禽4.5羽である[8]。これらの家畜は、各世帯の自家消費用および臨時の現金収入源として重要である。村人の多くは、学校や商店など数少ない職場で働くことによって得られる給与と年金などに、牧畜による収入を組み合わせて生計を立てている。

村では家畜の種類ごとに放牧グループが形成されており、ヒツジとヤギ、ウシは夏季には輪番制で日帰り放牧し、冬季は各世帯が家畜小屋で世話する。ウマは、夏季は専門の牧夫に委託して放牧し、冬季は輪番制で放牧するか家畜小屋で飼う。冬を越すために大切な干草は、複数の世帯が協働で準備するか、トラクターを所有する村人と交渉して現金などを支払って入手する。土地は基本的に国有で、村周辺の土地は借用が許されない共有地として放牧や干草作りのために確保されているが、それ以外の土地は放牧地や農耕地として借用が可能である。土地を「所有」するという感覚は薄く、土地の「利用」権が意識されている。ある世帯が借用している土地を他の世帯が草刈りして干草を折半するなど、世帯間の交渉により利用していることも少なくない。牧畜を営むにあたって、世帯間の協働や連携が必要とされている。

牧畜を基盤とする日常生活において、男女の分担は比較的はっきりしている。男性は主に家畜の放牧、家畜小屋の掃除、家屋の修繕などを、女性は主に搾乳、調理、洗濯、幼い子どもの世話などをする。ひとつの世帯の中で女性どうし、あるいは男性どうしが世代を超えて仕事を分担するだけでなく、世帯を超えて女性と女性、男性と男性が協力することが特徴的である。例えば、ある世帯で女性が不在の時は、別の世帯の女性が搾乳や調理などの仕事を担い、男性が不在の時は、別の世帯の男性が家畜の世話などの仕事を補う。同じ村に暮らす親族や、隣の世帯に依頼することが多い。さらに、こうした協力関係は日常的な物の貸し借りもともなっている。例えば、筆者が滞在していた世帯では、パンを焼くための型をすぐ近くに暮らす親族の世帯と共同で使っていた。労働力と物が、世帯を超えてやりとりされているのである。

遊牧から定住生活への移行により、父系出自という血縁に基づく集団への帰属に加えて、定住村落という地縁に基づく世帯間の関係が築かれたが、中央ア

[8] 村管区役場提供資料に基づく。ヒツジとヤギは同一カテゴリーとして数えられている。

ジア南部のオアシスで定住生活を送っていた人々に比べると[9]、現在の居住地での地縁の蓄積は浅く100年に満たない。さらに1990年代以降には、都市への移住の増加という新たな現象が生じている。

## *4* 都市への移住と草原への帰省にみるつながりへの希求

カザフスタンは国全体としては、1990年代の人口減少を経て、2000年代以降は人口が増加しているが、村落部から都市部への人口流出は徐々に進んでいる。ソフホーズ（旧ソ連の国営農場）が機能していた1990年代初頭までは、街に出ていく人もいたものの少数で、人口流出が顕著になったのはソフホーズが解散した1990年代半ば頃であった。筆者が調査した村の人口は、1999年には809人だったが、2019年には620人にまで減った[10]。日本と比べれば若年層の比率が高いが、子どもを都市の学校に通わせる親もいるなどの理由も相まって学校生徒数は徐々に減少している。また、子ども世代が都市の学校へ進学し就職することにより、年長者のみの世帯が現れ始めている。

都市への移住が進むなかで、交通網の整備も行われているが、依然として不十分である。地区中心地までは直線距離で70キロ、州都までは240キロ、隣の州の州都も140キロ離れているが、州都と地区中心地と村を結ぶ公共交通は、夏季もバスが一日１～２便のみで、冬季にはまったく無くなることもある。厳しい冬のあいだ、村と村、村と都市を結ぶ交通網は遮断されがちである。

こうした状況の下、会えない時間にもつながり続ける手段として、急速に発達した通信技術が活用されている。村内の固定電話システムが1990年代に機能不全におちいった後、2000年代には新しい設備として衛星電話が導入されたが、2005年頃までは数世帯しか都市と通話できず、近所に電話を取り次いでいた。2010年代に入ると携帯電話が普及したが、最初は高所でなければ携帯電話

---

[9] 中央アジアのオアシスには定住生活を送ってきた人々が暮らしているが、その大部分は父系クランの観念をもっておらず、マハッラ（街区）など地縁がより重要である。

[10] 1999年の人口はカザフスタン共和国統計［Agenstvo Respubliki Kazakhstan po statistike 2001:10］、2019年の人口は村管区役場提供資料に基づく。なお、2019年の年齢構成は、0～15歳が25.0%、16～30歳が25.3%、31～62歳が38.1%、63歳以上が11.6%である（村管区役場提供資料）。

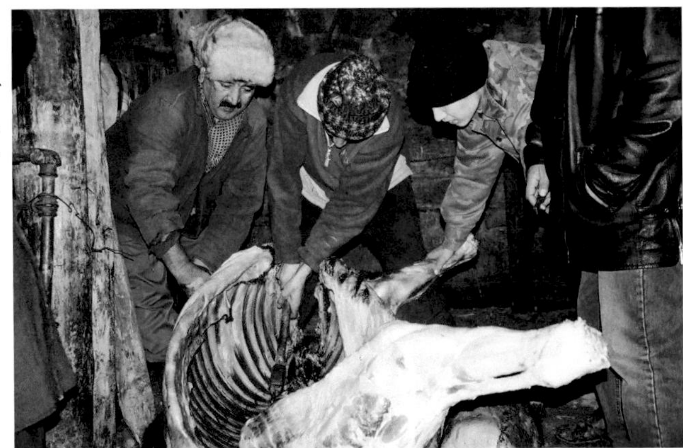

**►写真4**
**屠畜**
越冬用の食料として、ウマを屠って解体している。男性が屠畜して解体し、女性が内臓の処理と調理を担当する

**►写真5**
**草原を走る長距離バス**
直線距離で約375キロ離れた2つの州都（パヴロダル市とカラガンダ市）のあいだを、片道約8時間半かけて走る。この写真の撮影時（2017年7月）には、途中でタイヤがパンクし、40分ほど修理してまた走り出した

**►写真6**
**草原の村でタブレットを使う子どもたち**
昼食に自家製のカッテージチーズとパンを食べた後、Wi-Fiで動画を見たりメッセージを家族・親族や友達に送ったりして楽しむ

◀**写真7**
**久しぶりに会った姪の子を抱く女性**
「私の仔ヒツジ、匂いをかがせて！」などと言いながら、子どもをかわいがる

の電波を捉えられなかったので、家畜小屋の上などで通話することもあった。しかし、数年のうちに村内に電波塔が立ち、村のどこにいても携帯電話がつながるようになった。2017年にはWi-Fiも各世帯に設置可能になり、都市にいる子や孫とスマートフォンのWhatsApp Messengerアプリ⑪を用いてメッセージや動画をやりとりする村人が増えている。

ただ、どんなに通信手段が発達しても、育児、介護、看病などは、対面しなければできない。村に暮らす親は、病気になると都市に暮らす子どもの家に滞在して通院、または入院する。また、都市に移住した子どもたちは、夏季を中心に休暇をとって家族を連れて村に帰る。その様子は、現代の季節移動のようである。特に息子は妻と共に両親の家の仕事を手伝い、孫の面倒を祖父母が見る。ある世帯では夏の休暇に10人もの孫が村の祖父母の家に集まっていた。久しぶりに会った幼い孫に、祖父母は「私の仔ウマ、ちょっと匂いをかがせて！」などと言いながら、匂いを吸いこむしぐさをする。カザフ人が「私の仔ヒツジ」、「私の仔ラクダ」、「私の仔ウマ」と呼んで子どもをかわいがるのは、家畜が仔を匂いで認識することを「真似」ているようだが、考えてみれば人間も本来は嗅覚も含めた五感のすべてで相手の存在を感じとる。久々に会った孫とのつながりを、体全体で確認しているのだといえよう。

都市への移住が進むにしたがって、都市と草原の村を往還する暮らしが、移住した子ども世代の生活形態として新たに現れた。親が草原の村で暮らし続けることを考えて、シャワー室やトイレを屋内に設置するなど、家を改築する場

---

⑪ アメリカのWhatsApp社が開発したアプリケーション。メッセージや動画のやりとりができる。日本のLINEに類似。

合もある。親世代のなかには、夏には冷涼な草原の村で過ごし、冬には都市の暖房設備が整った子どもの家で過ごすという、季節によって居住場所を変える暮らしを選択している人もいる。やがてさらに高齢になると、都市に暮らす子どもの世帯に引き取られていく。都市に暮らしていても草原に家があるのはよいことだと、村出身者はしばしば語る。

## *5* つながりの結節点としての共食——日常の食と儀礼の食

かつて遊牧によって長距離を移動していた人たちは、定住化した後、現在では草原の村と都市を移動しながら生活している。こうした暮らしの変化のなかで、共食は一貫してつながりの結節点となってきた。

普段の食事は、家族が共食の範囲である。朝食は自家製のナン（*nan*, パン）に自家製のバターをつけて食べ、搾乳したウシのミルクを加熱してから濃い紅茶に加えたミルクティーを飲むことが多い。昼食と夕食には、温かい料理を作る。ジャガイモ炒め、肉とマカロニ（またはそばの実）の炒め煮、肉と野菜のスープ、肉を煮込んで自家製の麺をいれた肉うどん、マントゥと呼ばれる蒸し餃子、肝臓のカツレツなどが食卓によく並ぶ。季節によって食事にはバリエーションがあり、夏は乳製品が多くなる。カッテージチーズ、乾燥させたチーズなどは子どもの大好物だ。また、夏季にはウマを搾乳して、大人も子どももクムズ（馬乳酒）[12]を健康飲料として飲む。初冬にはウマやウシなどの大型家畜を屠って春までの食糧とする。冬をとおして、肉や麺やジャガイモを入れた温かいスープをよく食べる。

こうした普段の食事の最中に誰かが家を訪問すると、「お茶を飲んでいって」、「食べていって」と声をかける。それ以外の時間に訪問した場合も、「ナンに口を触れていって（ナンを食べて）」と声をかける習慣があり、訪問者はナンをひとかけらちぎって口に入れる。何も食べずに去ってはいけないとされているのは、共食がつながりをつくるという認識があるからだろう。

家族よりも大人数で共食するのが、結婚や葬儀などの人生儀礼や、イスラーム祭日である。現在の定住村落の範囲を超えて親族と姻戚を招待し、同じ村に

---

⑫ ウマの乳を発酵させたもので、アルコール度数は数パーセントと低い。タンパク質、脂肪分、糖分を含み、ビタミンに富む。

**▲写真8　ヒツジの肉の共食**
ヒツジ一頭を屠畜して調理し、大皿を囲んでみんなで食べる。年長の男性には、敬意の印としてヒツジなどの頭部や寛骨のまわりの肉などがふるまわれる

暮らす隣人も客として招く。もてなす際には、肉料理を必ず客に出す。ベスバルマク（*besbarmaq*）という代表的な肉料理は、まず家畜を屠って解体し、大きな骨つき肉を数時間かけてゆでる。次に、幅広の小麦粉の生地をゆでて大皿にのせ、その上に肉を盛りつける。味付けはほぼ塩のみで、ゆで汁にタマネギなどを加えたソースを肉に少量かけて供する。

肉を食べるにあたっては、次のような作法がある。年長の男性客には、家畜の頭部を調理したものを、尊敬の意味を込めて出す。年長の男性客は、耳は子どもに、口蓋は若者や娘に、というように分配する。脳と頭部の皮は皿にいれてまわし、全員が少量ずつ食べる。頭部以外の骨つき肉は、骨から外して切り分けられた後、全員が大皿から手でとって食べる。最後に熱々のスープを飲む。その後、バウルサク（*bauïrsaq*）という揚げパン、バター、果物、菓子類、乾燥チーズなどが、ミルクティーと共に出される。食後には、年長者が「食卓に豊かさを与えたまえ、身体に健康を与えたまえ」などの祝福の言葉を述べる。

さらに、儀礼によって、次のような特徴的な習慣がある。結婚の際には、婿側と嫁側がゆでたヒツジの白い脂肪尾と黒い肝臓を合わせて食べる。それまで他人であった婿側と嫁側が姻戚関係を結ぶことが、食物に象徴されている。一方、葬儀や１年忌など、死者のための儀礼にはウマを屠る。油脂の香りが死者の霊魂に届くという観念があり、シェルペク（*shelpek*）という平たい揚げパンを特別に作って、馬肉のベスバルマクにのせて出す。また、イスラームの犠牲祭には、犠牲獣として主にヒツジを屠畜して共食する。

人生儀礼や祝祭の食事には、互いに招待しあう互酬的な関係が意識されてい

**▲写真9　ウマの肉の共食**
草原に設営した天幕内で、ウマの肉を共食する。ムスリムの習慣として、男性と女性は別々の食卓を囲んでいる

るが、見返りを求めないもてなしもある。例えば、断食月の日没後の食事が、村に働きに来た人々に喜捨（サダカ，*sadaqa*）⑬としてふるまわれたことがあった。これは、喜捨することによって善行が積まれ、アッラーによって来世が約束されると考えられているからである。信仰を共有することにより、互酬性が期待できない場合にもつながりが形成されていることがわかる。カザフ社会では、父系親族という血縁、アウルという（一時的な）地縁、そして信仰の共有という、複数の論理に基づくつながりが重なり合っている。

複数のつながりの結節点となる共食には、しばしば歌や祈りが伴う。結婚などの慶事には、食事の合間に参加者が共に歌ったり踊ったりする。一方、死者儀礼などの弔事やイスラーム祭日には共に祈る。共に食べ、歌い、踊り、また祈ることがつながりを深めていく。

移動する生活の変化のなかで、共食がつながりの結節点となってきたことが最もよく示されているのが、アス（*as*）と呼ばれる大規模な死者儀礼である⑭。アスはもともと「食物」、「食事」を意味し、草原に点在する祖先の墓地などに集合し、祖先を顕彰して盛大に共食してクルアーンを朗唱することを指す。競馬や馬上競技を行うこともある。草原の一地点に多くの人々が集合し、終わると誰もいなくなる。このアスはソ連時代にはほとんど行われず、1990年代になってから復興したが、草原の村から都市への移住という新たな移動が生じるなかで、

⑬ムスリムの義務としての定額の喜捨はザカート、任意の喜捨はサダカと呼ばれる。カザフ社会における喜捨については［藤本 2016］参照。

⑭カザフ人の弔いや死生観については［小西・山田 2019：66-76］参照。

都市への移住者も含めて草原に集合しつながりを深める機会となっている。

さらに、参加できない人も含めてつながりを確認する仕組みがあることが注目される。スバガ（*sïbagha*, 分け前）とは、前述の肉のもてなしの際の分け前のほか、参加できない人に渡される分け前を指す。また、もてなしの食事のあとには、サルクット（*sarqït*）と呼ばれる土産として、乾燥チーズや果物や菓子などを客に手渡す。もらった客はそれを持ち帰って、家族に食べさせる。その場にいない人も含めて食物を分かち合うのである。都市への移住が進む状況のもとで、こうした習慣の延長として、村の両親は都市の子や孫のために、家畜の肉を人に託して渡したり、子どもが夏に帰省した際に乾燥チーズを渡したりする。遠くに暮らしていても食物を渡すことでつながりを確認しているといえよう。

## *6* 世代を超えたつながり――危機のなかでの模索

カザフ社会は20世紀から21世紀にかけてめまぐるしく変化してきた。そのなかで、次世代への継承が意識されるようになっている。つながりは共時的な側面が意識されがちだが、変化のなかで社会をどのように継承していくのかという通時的な側面も重要である。

子育ては継承の要であるだけに、子どもをめぐる社会関係は、人と人とのつながりのなかでも重視されてきた。祖父母による孫育てはその一つの例であるだろう。また、カザフ人が結婚や葬儀の際に集まり、共食をとおして人とのつながりを作ることを重視するのは、それが子どもの進学や就職に欠かせない「つて」の形成や維持、強化につながるからでもある。特に村落部出身者にとって、都市では親族や知人とのつながりが欠かせず、親族や知人宅に滞在して大学で学び、就職して生活を築いていく。

定住化と都市への移住が進み変化する暮らしのなかで、世代を超えたつながり、つまり自らのルーツへの関心が高まり、系譜の継承が意識されるようになっていることも注目される。「ルゥは？」、「父系７代の祖先は？」と幼い子どもに尋ね、答えさせることをとおして教えているのを時々見かける。また、2016年に祖先を顕彰するアスを主催した40歳代の男性は、「子どもたちが見るように」と、祖先の墓地への石碑の建設とアスの開催を決めたのだと語っていた。実際

**▶写真10**
**草原に集う人々**
祖先の墓碑を建てた記念に、各地から約70台の車に乗って、約200人がこの地点に集まった。昼前に集合して、祖先の墓の近くで祈り、食事するなどして交流し、夕方には解散した

に、このアスに子や孫を連れて参加した人々も少なくなかった。そこでは、系譜を共に聞くこと、祈ることなどが参加者のつながりを生み出し、さらに若い世代への継承が意識されていた。

カザフ社会の事例からは、世代深度の深い系譜の認識と親族関係、牧畜における複数の世帯の協働、牧畜生産物の共食をとおした広範なつながりの形成と維持など、移動する暮らしに適した特徴が浮かび上がってきた。定住化と都市への移住が進むなかで、カザフ人はこうしたつながりの仕組みを柔軟に変化に適応させてきた。主に定住農耕が基盤であった日本におけるつながりと、遊牧という移動性の高い生活を基盤としていたカザフ社会のつながりは異なる特徴をもつが、通信技術の発達、交通網の整備、都市への移住、過疎化、少子化や高齢化の傾向など、現代において直面している課題には共通性がある。

今後どのような社会を築いていくか模索が続くなかで起こったのが、新型コロナウイルス感染症の感染拡大であった。カザフスタンでは、首都ヌルスルタンと最大の都市アルマトゥの両方で、2020年3月13日に初めて感染者が確認された。隣国である中国からではなく、ヨーロッパからの帰国者の感染であった。3月16日には非常事態宣言が出され、感染者の出た都市は封鎖された。交通を遮断し、商業施設などの営業を厳しく規制する政策が功を奏したかに見えたが、5月に規制が緩和されると各地で感染者が再び増加し始めた。カザフスタン共和国保健省の発表によると、7月28日時点での累計感染者数は、全人口の約0.5パーセントにあたる84,648人に達している。

感染が拡大する状況のもと、カザフスタン各地に暮らす人々は、携帯電話でメッセージや動画を送り合い、時にはビデオ通話することで無事を確認し励まし合っている。会って時間と空間を共有することで築いてきた信頼関係は、会えない状況でも連絡を取り合ってつながり続ける基盤となっている。本稿でとりあげてきたカザフ草原の村の家族も、数年前に導入されたWi-Fiをとおして、都市に暮らす親族や友人と連絡をとっている。また、都市に暮らす息子のひとりが7月に休暇をとって家族ぐるみで帰省し、牧畜や家事を手伝っているとのことであった。感染拡大の状況を見極め、移動できるタイミングを見計らいながら、世代を超えて暮らしを維持する努力が続いていることがうかがわれる。

困難に直面している今だからこそ、多様な地域に暮らす人々が環境の変化に適応しながらつながりを築いている様子に、改めて目を向ける必要がある。異なる文化のなかで育まれてきた人のつながりについて学ぶことは、これからの社会の可能性を拓くことにも結びついていくだろう。

## 参考・参照文献


Agenstvo Respubliki Kazakhstan po statistike (2001) *Itogi perepisi naseleniya 1999 goda po Pavlodarskoi oblasti. Tom 2. Statisticheskii sbornik.* Almaty: Agenstvo Respubliki Kazakhstan po statistike.

小松久男他［編］(2005)『中央ユーラシアを知る事典』東京：平凡社。

小西賢吾・山田孝子編 (2019)『弔いにみる世界の死生観』京都：英明企画編集。

林俊雄 (2012)「ユーラシアにおける人間集団の移動と文化の伝播」窪田順平［監修］、奈良間千之［編］『中央ユーラシア環境史1　環境変動と人間』京都：臨川書店、164-208頁。

藤本透子 (2016)「カザフスタンにおける喜捨の展開――アッラー・死者・生者の関係に着目して」岸上伸啓編『贈与論再考――人間はなぜ他者に与えるのか』京都：臨川書店、161-182頁。

山極寿一 (2012)『家族進化論』東京：東京大学出版会。


### インターネット資料


カザフスタン共和国経済省統計委員会 (Ministerstvo natsional'noi ekonomiki Respubliki Kazakhstan)

- 社会経済基本指標 (2020年6月1日)〈http://stat.gov.kz/〉2020年7月28日閲覧。
- 民族構成 (2016年)〈http://stat.gov.kz/〉2018年10月1日閲覧。

カザフスタン共和国保健省 (Ministerstvo zdravookhraneniya Respubliki Kazakhstan)

- 新型コロナウイルス感染症特設サイト〈https://www.coronavirus2020.kz/ru〉2020年7月28日閲覧。

# ローカル／グローバルをこえるつながりのダイナミズム

## チベットのボン教徒を事例に

小西 賢吾

## *1* つながりがつくり拡げる文化と社会

つながりとは何だろうか。まずは、手元のスマートフォンを開いてみよう。アドレス帳やSNSのフォロワーリストには、様々な人が登録されていることだろう。現代のテクノロジーは、自分をとりまく人間関係を可視化した。だが、あなたはその人たち全員と本当につながっているのだろうか。そもそも、誰かとつながっているという感覚は、何によって引き起こされているのだろうか。

21世紀の初頭から、日本では引きこもりや孤独死の問題が大きな注目を集めるようになってきた❶。それは、「つながらない」ことがわたしたちの生にネガティブな影響を及ぼすということを示唆している❷。生物としてのヒトは、集団生活を維持する仕組みを発達させ、高度な社会を形成してきた❸。つながりを考えることは、社会の成り立ちを考えることでもあり、時代を超えて人間の生を基礎づけるものについて考えることでもある。

人間は生まれた瞬間から、否応なくつながりの中に組み込まれる。どこに、誰の子として生まれるのかは、その人がいかなる文化を身につけていくかという面で、生き方にかなりの程度影響を与えている。われわれが集団生活を営む社会は、文化が共有され継承される場であり、多様な文化が出会う場でもある。そして、グローバル化やネットワーク技術の発達に伴って、つながりは地域や国家を越えて広がっていく。つながりが時に消え、時に生まれ、また維持されるプロセスを捉えることは、文化の動態を知り、その未来を考える上で不可欠なのである。

本論では、筆者が2005年以来調査研究を行ってきたチベットのボン（ポン）教徒をとりあげ、かれらがグローバルなネットワークを構築してきた過程を、人びとの移動がもたらした出会いに着目して描き出す。チベットの「土着宗教」として知られるボン教は、20世紀中盤の政治変動を背景に、ヒマラヤを越えて

❶たとえば「無縁社会」論［NHK「無縁社会プロジェクト」取材班 2010］は孤独死に注目して日本社会におけるつながりの喪失を焦点化したもので、社会的な関心を集めた。

❷コロナ禍による社会の混乱の多くは、「対面しないこと」が要請されることによって生じている。これは、対面コミュニケーションを基盤としてつながりを形成してきた人間社会のありようを揺さぶるものである。

❸本書９ページからの山極寿一氏による論考も参照。

世界中に広まった。そして、チベット、インド、西洋、日本といった地域をまたぐ人びとのつながりが形成されていった。筆者が最初にボン教のことを知り、ボン教徒のチベット人に会ったのは日本の京都であったが、その背景にはこうしたグローバルなつながりがあった。現代社会では、わたしたちが出会う事象の多くが、ローカルな文脈をこえたつながりに支えられている。それがどのように形成され、文化と社会に影響を与えていくのかを、筆者がフィールドワークで出会った人びとのすがたを通じて考えていきたい。

## 2 チベット社会の分断とボン教徒たちのつながりの模索

チベット高原は、ヒマラヤ山脈の北側に広がる世界有数の高原地域であり、標高3,000mを超える高地特有の生態環境のもとで人びとが暮らしている。チベット人は、中国、インド、北アジア、中央アジアなど、周辺地域との交流を通じて独自の文化を形成してきた。とくに、7世紀前後にインドから伝来した仏教は、多様な思想と習合しながら、チベットの宗教文化の基盤となった。チベット仏教は、4大宗派と呼ばれるゲルク派、カギュ派、サキャ派、ニンマ派に代表される伝統を持っている。それに対して、チベットへの仏教伝来以前からの歴史を持つといわれる宗教がボン教である。

ボン教徒は、古代チベットの宮廷において死者儀礼をはじめとする儀礼を執り行う祭司であったと伝えられている。8世紀後半に、ティソンデツェン王が仏教を国教化して以来、かれらは迫害を受けて多くが仏教に改宗し、ボン教の聖典を埋蔵して隠したという。それが11世紀に発見され、仏教との複雑な相互関係を経て、現代にまで継承される「ユンドゥン・ボン」と呼ばれる教義体系が確立したとされる[4]。ボン教の担い手は世俗の人びとから僧侶や密教行者まで様々なパターンがあるが、戒律をうけて出家し、修行をするという僧院や僧侶のありようは、チベット仏教とほとんど共通している。その一方で、仏教にはルーツを求めることができない独自の思想や儀礼も多く伝えられている。

西洋では19世紀にチベット学が確立され、仏教をはじめとする宗教、哲学、

---

❹現代のボン教徒の間ではこのような歴史が伝わっているが、11世紀以降のボン教と古代のボン教とが連続したものであるかどうかは、学術的には十分に解明されていない。

歴史や言語などの研究が進められてきた。その中で、ボン教は素朴な「原始宗教」に過ぎないとみなされていた。しかし20世紀中盤以降、それが高度に体系化された教義を持った宗教であることが広く知られるようになった。そのきっかけとなったのは、チベット出身のボン教僧侶と、西洋や日本の研究者との出会いである。ただし、それを可能にしたのは、皮肉にもチベットが1950年代に経験した社会の分断であった。以下では、チベット高原の東端にあるシャルコク地方（現在の中国四川省松潘県）出身のボン教僧侶たちのライフストーリー[5]に基づいて、かれらをとりまくつながりの変化を見ていくことにしたい。

1950年代後半、シャルコク地方のある村でのこと。夜明け前のまだ暗い頃、２人の若いボン教僧侶、ニマとサムテンが友人チョディ[6]の部屋を訪ねてきた。かれらは村を離れ、中央チベット方面へあてのない旅に出ようとしていた。ニマとサムテンは、一緒に行こうとチョディを誘ったが、かれは年老いた母親と暮らしていたため、涙ながらに断り、別れを告げた。２人はその後、中央チベットを経由してインドへと脱出し、数十年にわたって故郷の土を踏むことはなかった。

シャルコク地方は、長江の源流のひとつ岷江（みんこう）が形成する緩やかな谷沿いに広がる地域で、チベット高原の中でもボン教が地域全体で保持される数少ない場所として知られている。かれら３人はもともと、村に隣接するションゾン僧院でボン教の教えを学んでいた同級生であった。チベットの大規模な僧院は、厖大なテクストを用いて、チベット語の読み書きから高度な教理哲学にいたる学問を身につける学問寺としての性格を持っている。1950年代のションゾン僧院には、大学者として知られる僧院長のもとに若き俊英たちが集まっていた。厳しい試験を突破し、学問を修めた証であるゲシェーの学位を授与されたかれらは、地域社会の宗教指導者となることを人びとから期待されていた。

だが、1949年に建国された中華人民共和国は、共産党の主導のもとで新たな宗教・民族政策を展開し、チベット社会に大きな変化が訪れようとしていた。

---

[5] 個人の人生を、口述をもとにしてまとめたもの。文化人類学や民俗学、社会学など様々な学術分野で資料として用いられる。長時間の、しばしば複数回にわたるインタビュー調査によって得られるもので、調査者とインフォーマント（情報提供者）との信頼関係も必要とされる。

[6] このエピソードは筆者が2007年のフィールドワークで実施したインタビューをもとにしている。登場する人物名は仮名としている。

20世紀前半までのシャルコク地方では、人びとは主食のオオムギを中心とした農耕、ヤク❼の小規模な放牧、そして茶葉や羊毛、岩塩などの交易を主な生業として暮らしてきた。当時は、いくつかの村落からなるショカと呼ばれるまとまりをゴワ（頭人）と呼ばれる領主が統治していた。それぞれのショカにはボン教僧院があり、ゴワは有力なパトロンとして僧院運営を支え、僧院の僧侶たちは地域社会の人びとのために様々な儀礼を執り行う関係にあった。僧侶たちの多くは、僧院に隣接する村落の出身であった。

それが、1950年代初頭から始まった中国政府による土地改革によって、ゴワは土地や財産を没収され、伝統的な村落は集団生産の単位である人民公社へと再編された。かつてゴワと僧院とのつながりを核としていた地域社会は、中央集権的な社会主義の制度に組み込まれることになった。ションゾン僧院では、1957年の反右派闘争❽をきっかけに僧侶たちが反革命分子とみなされ、強制的な還俗が始まった。ニマとサムテンがシャルコク地方を脱出したのはこの直前のことであった。

この時期には、チベット高原全体が動乱へと進みつつあった。中国の支配に抗するための戦いがチベット高原東部で勃発し、やがて中心都市ラサへと波及、1959年にラサ蜂起を中心とする「チベット動乱」が発生、チベット政府の指導者ダライ・ラマ14世（1935－）の亡命という結末を迎えた。これに伴い多くのチベット人がヒマラヤを越えてインドやネパールへ脱出し、難民となった。ダライ・ラマ14世は亡命政府樹立を宣言し、北インド、ヒマーチャル・プラデーシュ州のダラムサラを拠点とした❾。一方、中国側ではチベット政府の廃止が宣言され、1966年に「西蔵自治区」が設置された。ここにおいて、チベットの伝統的な社会構造は解体され、チベット人たちは国境をはさんで分断されることとなったのである❿。

❼チベット高原やヒマラヤ周辺の高地に生息するウシ科の動物で、肉や乳製品を利用する。チベット文化を象徴する動物の一つである。

❽中国共産党の政策に批判的な知識人を摘発する政治運動。中華人民共和国建国以降、国家運営は共産党以外の党派や知識人との協調体制を敷いていたが、この運動をきっかけに共産党の一党支配が明確化した。

❾この間の経緯については、山田［2016: 28－29］に時系列がまとめられている。

❿詳しくはチベット通史をわかりやすくまとめたデエ［2005］などを参照。

ヒマラヤを越えて移動した人びとは、困難な状況下において言語や宗教をはじめとする自らの伝統を継続し、新たな生活と文化継承の場を生み出そうとする動きを始めていた。一方で、中国にとどまることを選んだ人びとは、長年受け継いできた伝統と、中国の政策とのはざまで生き抜くことを迫られた。とくに1966年から1976年にかけて展開した文化大革命⓫を中心として、宗教への徹底的な抑圧が行われた。中国のチベット社会では、僧侶が還俗させられ、僧院などの宗教施設が破壊されて宗教は表舞台から姿を消した⓬。シャルコクに残ったチョディもまた還俗して結婚し、4人の子どもをもうけた。1980年代になってようやく宗教の復興が始まったが、それは、単に僧院を再建するだけではなく、混乱期に失われたつながりを再構築するための一歩であった。

## *3* 地域を越えたつながりが支える現代のボン教

ここで、シャルコクを脱出したニマとサムテンの足取りに目を向けてみよう。ラサを経てインドにたどりついたかれらは、1960年代初頭、散逸の危機にあったボン教の教義テクストの収集に明け暮れていた。ボン教の古い伝統を残すとされる西ネパールの奥地にまで足を運び、様々なテクストを収集、整理し、インドで出版する活動を続けていた。同じく中国から逃れてきた東チベット・キュンポ地方（現在の西蔵自治区丁青県）出身の学僧テンジンも同志に加わっていた。

その頃、英国のチベット学者であるデイヴィッド・スネルグローヴ（1920－2016）が、ロックフェラー財団の支援をえてインドを訪れていた。彼は、学術研究のためにチベット人僧侶を英国に招へいするという使命を帯びており、仏教より古い伝統を持つとみなされるボン教徒に注目した。チベット難民の居住区をめぐりあるいていたスネルグローブは、ある日全く偶然に、ニマたちに出会った⓭。彼は出会った僧侶たちが並外れた学識を持つことに気づき、英国に連れて

⓫ 中国において行われた大規模な思想・政治闘争であり、多面的な事象である。宗教をはじめとする伝統的な思想は攻撃を受け、僧侶をはじめとする宗教指導者たちが批判の対象となって投獄された。

⓬ 中国のチベット社会における文化大革命とその後の宗教復興については、小西による本シリーズ第3巻の論考［小西 2018］も参照。

⓭ 詳細についてはSnellgrove［2008］を参照。

帰ることを決心した。ニマ、サムテン、テンジンは、記録に残る限りヨーロッパに足を踏み入れた初めてのボン教僧侶になったのである。

英国にわたった僧侶たちは、ロンドン大学を主な拠点として英語と西洋式の学問のトレーニングを受け、欧州のチベット学者の強力な共同研究者となった。初期のすぐれた研究成果として、ボン教の祖師シェンラプ・ミボの伝記『シジー』の英語訳である *The Nine Ways of Bon* [Snellglove 2010 (1967)] がある。この書物によってボン教が「原始宗教」ではなく、高度な教理哲学を持つ宗教として広く世界に知られるようになり、その知見は仏教徒を含めたチベット人の間にも環流していった。1960年代以降のチベット文化は、地域を越えたつながりに支えられて存続することとなったが、その背後にはこうした出会いを数多く見いだすことができる。

３人のうち、ニマはボン教教学の中心メンリ僧院⑭の第33代僧院長に選出されてインドに戻り、2017年に死去するまでボン教の精神的指導者として活躍した。テンジンもまた、メンリ僧院の僧侶教育のトップとして宗教知識の伝授につとめ、その後ネパール、カトマンズ郊外に本格的な瞑想施設を備えたティテン・ノルブツェ僧院を建立した。その後、この僧院からは欧米で活動を行う僧侶が多く輩出した。

サムテンはその後還俗し、フランスを拠点に研究者として活動を始め、後に国際チベット学会の会長を務めるなど世界的なチベット学者としての地位を築いた。また、1970年代からたびたび日本を訪れ、研究活動を行っている。そして2005年、京都大学に招へいされていた氏との出会いは、筆者がその後ボン教をテーマにシャルコクでフィールドワークをするきっかけともなった⑮。

パイオニアとしての３人に続く形で、ボン教徒は徐々に地域を越えたネットワークを構築し始める。とくに、瞑想を中心とするゾクチェン⑯の実践が、ニマ

⑭もともと中央チベットのシガツェ近郊に14世紀に建立された僧院で、出家した僧侶による学問寺として発展した。亡命したボン教徒によって、ヒマーチャル・プラデーシュ州ドランジに再建された後は、グローバル化するボン教の総本山として機能している。

⑮この経緯については小西［2017］を参照。

⑯チベットにおいて継承されてきた、生きながらにして悟りを得るための思想や身体技法の集合からなる実践。禅の影響を受けた部分があることが指摘されるが、禅や他の思想に還元されない、チベット高原に仏教が伝来する以前からの伝統の流れをくむ体系だと考えられている。ボン教以外にも、チベット仏教ニンマ派において継承されてきた。

**▲写真1　フランス、ロワール地方のボン教センター「シェンテン・ダルギェーリン」**
パリから鉄道で約3時間、農地が広がるのどかな丘陵の一角に位置し、世俗を離れた時間で瞑想などの実践に励む人びとが集う

やテンジンといった難民第1世代から教えを受けた2世世代によって広められた[17]。筆者が確認できた限り、欧米諸国ではフランス、オーストリア、ドイツ、ポーランド、ロシア、アメリカ合衆国、カナダ、アルゼンチン、メキシコなどでボン教僧侶による法話やゾクチェンの伝授などが行われている。中でも、フランス中部ロワール地方に位置する「シェンテン・ダルギェーリン」は、ネパールのティテン・ノルブツェの僧侶たちがフランス人信徒の支援を受けて2006年に設置したヨーロッパを代表するボン教センターである。一見古い領主の館のような建物の中に祭壇や瞑想スペースが配置されており、年間を通じて僧侶による指導を受けられるプログラムが組まれている。ちなみに、ヨーロッパほど大規模ではないものの、日本ではティテン・ノルブツェで15年以上にわたって修行を積んだ日本人によるボン教ゾクチェンの講座が開かれている[18]。こうした動きは、チベットから出たボン教徒たちがグローバルな場においてその活動を維持するためのつながりを模索してきた過程と捉えることができる。実際に欧米からの経済的支援は、インドやネパールで暮らすボン教徒の暮らしや教育に不

[17] 欧米で活動する代表的なゾクチェン指導者として知られるTenzin Wangyalは、チベット難民2世としてインドで生まれ、メンリ僧院で修練を積んだ。英語で多くの書籍を著しており（Tenzin Wangyal [2000]など）、彼の書籍やワークショップをきっかけにボン教を知ったと語る欧米人ボン教徒が多い。

[18] この経緯については、箱寺［2015］を参照。

可欠なものになっている[19]。

一方で、中国のチベット社会に目を移すと、1980年代以降、人びとが様々な困難に直面しつつも宗教実践の場を再び立ち上げてきた。文化大革命に続く「改革開放」では、宗教を当面は存続するものとして政府が認め、その管理下において宗教活動が認められるようになった。宗教実践と日常生活とが密接に結びついた人びとにとっては、宗教復興はまさに生活の基盤となるつながりを再構築する道のりだったとも言えよう。

シャルコクでは、1982年頃から僧院の再建が始まり、僧院の破壊前から受け継がれた宗教知識を若い世代に伝えるための僧侶教育も再開された。同じ頃、集団生産制が解体され、人びとは多様な生業に従事しつつ僧院の活動を支えることになった。宗教復興の時代を経て、1990年代末から始まる観光地化[20]と経済成長によって富を得た人びとは、僧院に多額の寄進を行い、宗教実践の活性化に貢献した。

ニマとサムテンがそれぞれシャルコクに帰ってきたのは、人びとが宗教復興を通じてつながりを回復しようとしていた時期であった。研究者としてシャルコクに帰郷したサムテンは、ションゾン僧院で文化大革命の時期に隠され難を逃れた壁画を発見した。それはゾクチェンの教えを図示した貴重なものであり、英文の研究書［Karmay 1998］を通じて世界に知られることになる。

ニマは、メンリ僧院座主として2度にわたりシャルコクとションゾン僧院を訪れた。彼は親族を通じて僧院再建を経済的に支援するとともに、後継者選定の問題[21]を抱えた僧侶たちと会い、後継者について助言を行った。現在でも、

---

⑲ たとえば、メンリ僧院があるドランジには、僧侶以外の世俗の人びとも含むボン教徒コミュニティがある。僧院の運営のみならず、チベット語を含めた学校教育や、孤児院の運営などを目的とする財団が設立され、常に寄附を受け付けている。こうした窓口の一つとして、1989年にアメリカで設立されたBon foundation（http://www.bonfoundation.org/）がある。

⑳ シャルコクに隣接する九寨溝・黄龍の自然保護区は、1992年に世界自然遺産に登録されたことをきっかけに中国有数の観光地の一つとなり、人びとに多くの雇用や現金収入の機会をもたらした。2003年に開港した空港には北京や上海をはじめ全国からのジェット機が発着し、この地域の急激な変容を物語る。

㉑ かつてシャルコクでは、僧院長はゴワの指名によって選ばれることが多かった。政治体制の変化によって、僧院の後継者を決定する「正しい」手続きが失われたため、再建された僧院を誰が受け継ぐのかについて合意形成が困難な時期が続いていた。

ションゾン僧院の本堂奥の宝座にはニマの写真が掲げられ、儀礼では彼がシャルコクにいた頃の名前[22]が読み上げられて礼賛される。ニマはボン教全体の指導者であると同時に、ローカルな一僧院の指導者として人びとから尊崇を受けていたのである。

かれらをはじめとする難民側からの本土訪問は、一時的な帰還であったとしても、ローカルな宗教実践の方向付けに大きな影響を及ぼしている。シャルコクに限らず、1990年代以降にはインドやネパールでゲシェーの学位を取得した僧侶が中国の出身僧院に戻って定住し、指導者として重要な役割を果たしている例が少なくない。2019年時点で、インドのメンリ僧院では6人のシャルコク出身の若い僧侶が修行に励んでいる。かれらは学識を求めてインドへと移動し、学位取得後はシャルコクに戻る考えを持っている。このような人びとの移動とそれに伴う宗教的知識の環流は、復興したローカルな宗教実践の場が地域を越えたネットワークに支えられていくことを示唆している。

そしてボン教徒のつながりは、チベットから中国都市部へも広がりつつある。この背景には、チベット社会と漢族社会の交流の増加がある。とくに、2000年代以降の観光地化を通じて都市部に住む漢族がチベット社会を訪れ、宗教文化に関心を持つようになったことがきっかけである。北京や上海、広州のような大都市では、2000年代後半から流暢な漢語を身につけたボン教僧侶が人びとに説法をし、SNSを通じて情報を発信するようになっている。また、実際にチベット各地のボン教僧院を漢族信徒が訪れ、儀礼に参加したり、教育施設への寄進を行うことが珍しくない[23]。

こうした事例からは、ボン教徒は亡命社会側、中国側を問わず地域や民族を越えたネットワークに支えられて、自らの文化を継承する場を維持してきたことがわかる。それは、ローカルな出来事が、グローバルな背景を持ちながら展開すること、またグローバルな人の動きや出会いがローカルな出来事にも結実することを示している。ここでは、グローバルとローカルが対立する概念ではなく、人びとが両者を行き来しながら形成されるつながりを捉えることが重要

---

[22] チベット人僧侶は、出家して本名の他に法名を授かるが、地位の変化や新たな師への師事などに伴って異なる法名を名乗ることが珍しくない。

[23] 小西［2019］では、ボン教僧院の運営に漢族信徒が果たす役割について論じている。

であることがわかる。

３人の僧侶に視点を戻そう。筆者が京都の大学に招へいされていたサムテンの研究室からシャルコクのチョディに国際電話をかけたのは、2009年のことであった。かつて還俗したチョディだったが、その頃はションゾン僧院の長老として、若い世代の指導にあたっていた。いったん還俗していたことを恥じていたチョディであったが、文化大革命以前からの知識を受け継ぐ世代として、僧院にとって欠かせない人物となっていた。チョディはフィールドワーク中の筆者にも重要なインフォーマントとして多くの知識を提供してくれており、その際に「次にサムテンに会ったら是非電話してくれ」と言われていた。現地でインターネット回線やスマートフォンが普及する直前のことであった。

国際電話がつながり、声をはずませて語るようすからは、チベット文化とボン教徒が地域を越えてつながりながら生きぬいてきた50年の過程がにじみ出ていたように感じられた。そして翌年、サムテンは中国の大学に招へいされた機会にシャルコクを訪問することを計画した。ところが、再会の数日前にチョディは事故に遭い、帰らぬ人になってしまった。1950年代に分かれた彼らの人生は、再び同じ場所で交わることはなかった。だが、かれらが歩んだ道のりは、地理的な距離や文化的背景をこえて多様なつながりを生み出し、それがとりもなおさずチベット文化が継承される場としての役割を果たしてきたのである。

## 4 縁概念が示すチベット社会のつながり

四川省の省都、成都市で大学教員として勤務しているチョディの四男は、シャルコク出身の３人の僧侶たちがたどった人生を振り返って、「これはすべて縁だ」と述べる。日本語での縁は、地縁や血縁といわれるように、地域社会や親族をはじめとする社会的なつながりを指す。また、「縁結び」や「縁がある」のように、個人の出会いとそこから生まれるつながりを説明することばでもある。中国語にも「縁（縁分）」ということばがあり、「有縁千里来相会、無縁対面不相逢（縁があれば千里離れていても出会い、縁がなければ顔を合わせても通じ合わない）」ということわざがある。

チベット語の「縁」は、仏教的な思想が色濃く反映された概念である。シャルコクのチベット語方言では、縁に対応することばは「レー」や「レーワン（レーの力）」である。レーは「業」や「カルマ」ともいわれる概念で、多様な意味を持つ。一般的には、前世での行いが現世に影響し、現世での行いが来世に影響するという因果論的な考え方として説明される。これは、善行を積むと善果があり、悪行を為すと報いがあるというだけにとどまらず、すべての存在や行為は相互依存的につながっており、誰と出会い、どのような人生をたどるかも、過去の何らかの行いによって生じたものであると考えられている[24]。

よりボン教的、もしくは非仏教的といえる概念で「縁」を説明するものとして、トパリモ（頭蓋骨の絵）ということばもある。人生において起こることは、すべて天によって頭蓋骨の額の部分に描かれているという。何が描かれているのか普通の人は見ることができないが、占いや儀礼などを行うことでそれを見極め、良い方向に変えていくこともできると考えられている。レーやトパリモといった概念が示唆するのは、過去から続く因果や、超自然的な存在の介在、そして自らの行いが交差するところに、出会いとつながりが生まれるということである。

欧米人や漢族のボン教徒は、なぜボン教に関心を持ったのかという筆者の問いに対して、人生の諸問題に対する説得性のある教えや、瞑想などの実践が心とからだに及ぼす効果など、地域や民族をこえた普遍性を挙げることが多かった。加えてかれらが強調するのが、ラマ（師僧）への信奉を通じたつながりである。フランスのボン教センターで出会ったオランダ人女性は、「ヨーロッパには他にもチベット仏教のラマはたくさんいるし、テーラワーダや日本の禅もあるけど、どうしてボン教を選んだのですか」という筆者の質問に対して、「もともと父親が仏教に興味があって、いろいろなところをまわっていたのだけれど、やはりラマとの出会いが大きかった。他にもいろいろ選択肢はあったけど、リンポチェ[25]が自分をインスパイアした。やはりラマとのつながりが重要だと思う」

---

[24] 仏教哲学、とくにインド大乗仏教からチベット仏教に取り入れられた中観派（唯識派と並ぶ二大学派の一つ）においては、空性（一切は因縁によって生じていて、本体・実体などは「空」であること）を示すためにテンデル（縁起）の概念が重視される。中観派は、ボン教の教理哲学にも影響を与えているが、多くの僧侶は、そうした哲学的な「縁」と、日常レベルの「縁」は異なると説明している。この論考でとりあげているのは日常の縁である。

[25] チベットの僧侶に対する尊称の一つ。狭義には、生まれ変わりによって地位を継承するトゥルク（化身ラマ）を指すが、学識と人徳を備え崇敬を集める高僧への敬称として使われる。

と語った[26]。こうしたつながりは、僧侶の側からは「（師と弟子として、また教えそのものに）縁がある」と解釈され説明されている。欧米人や漢族のボン教徒は、まさに縁もゆかりもなかったこの教えと出会い、それをあたりまえのように受け入れて実践している。この出会いを通じて、人生が大きく豊かに変わったと、かれらの多くは述べている。

出会いが生み出すつながりが人生を大きく動かすことが、文化的背景をこえた普遍性を有していることをこの事例は示唆している。同時に、そうしたつながりをチベット人が「縁」概念を用いて説明することによって、チベットで受け継がれてきた文化としての宗教的価値観がより多くの人びとを巻き込みながら存続していくともいえる。

## 5 未知の他者と結ぶ縁が支える社会の存続

先述したように、かつてチベット社会を支えてきたつながりは、20世紀中盤に分断された。しかしその文化は、グローバルに形成された様々な場とそれを支えるより広い人びとのつながりによって維持されるようになった。ローカルな社会とグローバルなネットワークのどちらかのみに注目するのではなく、人びとが日々の暮らしや地域を越えた移動、そしてインターネットを通じて形成するつながりを包括的にみることによって、チベット文化の継承のダイナミズムをとらえることができる。欧米人や漢族などチベット社会の外部の人びとが宗教実践に関与し、チベット人とつながりを形成することによって宗教実践がさらに活性化するという事実は、社会の存続が外部に開かれることによってこそ達成されるということを示唆している。そしてそれは、チベット社会のみならず、日本社会の将来を考える上でも重要な論点を示していると思われる。

ボン教徒の事例は、決して特殊なものではなく、わたしたちが日々の生活で経験することにひきつけて考えることができる。グローバル化がもたらした多文化状況のもとでは、わたしたちの暮らしは「縁もゆかりもなかったものごと」と出会う機会に満ちている。留学や海外経験にとどまらず、これまで知らなかった食や装い、祭りなどに出会ったり、多様なルーツや考え方、嗜好を持った人び

[26] 2012年8月のインタビュー調査による。

とと共に働いたり学んだりすることは、珍しいことではない。ボン教徒が様々な人びとと出会うことで活動を活性化してきたように、他者とつながり関わり合うことは、生活の基盤としての社会の存続を支えていく可能性がある。みずからの「あたりまえ」とは異なるつながりに向けて自分を開き、縁を結んでいくことは、人類が育んできた豊かな文化を更新しながら未来へと受け継いでいく営みであり、それはつまるところ、わたしたちが充実した生活を送る場所をつくり守るための一歩なのである。

## 参考・参照文献


Karmay, Samten (1998) *The Little Luminous Boy*. Bangkok: White Orchid Press.

Snellgrove, David (2010 (1967)) *The Nine Ways of Bon*. Boulder: Prajna Press.

Snellgrove, David (2008) *How Samten Gyaltsen came to Europe*. Revue d'Etudes Tibétaines 14: 1-6.

Tenzin Wangyal (2000) *Wonders of the Natural Mind*. Ithaca: SnowLion Publications.

NHK「無縁社会プロジェクト」取材班 (2010)『無縁社会――〝無縁死〟三万二千人の衝撃』東京：文藝春秋社。

小西賢吾 (2017)「チベット族とボン教のフィールドワーク――縁をたぐり寄せ、できることをすること」西澤治彦・河合洋尚[編]『フィールドワーク――中国という現場、人類学という実践』東京：風響社、pp.137-153。

小西賢吾 (2018)「『あつまり』と『つながり』の場としての祭り――コミュニティの維持・再生につながる力」山田孝子・小西賢吾[編]『祭りから読み解く世界』京都：英明企画編集、pp.127-140。

小西賢吾 (2019)「中国のチベット社会における僧院と教育――多面化する『世俗』のなかで」石森大知・丹羽典生[編]『宗教と開発の人類学――グローバル化するポスト世俗主義と開発言説』横浜：春風社、pp.327-362。

デエ、ロラン (2005)『チベット史』今枝由郎訳、東京：春秋社。

箱寺孝彦 (2015)『ゾクチェン瞑想修行記――チベット虹の身体を悟るひみつの体験 (電子書籍)』Kindle。

山田孝子 (2016)「日本のマス・メディアにみる1945－64年のチベット報道：チベット問題発生にいかに対処したのか」『金沢星稜大学人文学研究』1(1): 11-40。

# 結婚と「つながり」のかたち

## 中央アジア南部のムスリム社会

和崎 聖日

中央アジアは、東アジアと西アジア、南アジア、北アジアに四方を囲まれたアジア中央の内陸部に位置している。この地の自然は、総じて言えば、北部に広がる大草原と南部に点在するオアシスの２つの区分から構成される❶。北部に広がる草原に暮らしていたテュルク系遊牧民は、６世紀から19世紀までの約1,300年におよぶ歴史をとおして、ペルシア系定住民が居住していた南部オアシス地域（現在のウズベキスタンとタジキスタン）に浸透し、戦争や通商、融合といったさまざまな関係を取り結ぶなか、やがて自らも定住した。この定住生活への移行のプロセスが波状的に繰り返された結果、南部オアシス地域では言語的なテュルク化が進行した。しかし、ペルシア的な要素が完全になくなった訳ではなく、これを継承したタジク人は今も中央アジア南部に少なからず居住している。そのうえ、ウズベク語など中央アジアのテュルク系の諸語には、語彙などの点でペルシア語の要素がふんだんに見出される。

このテュルク化とならんで中央アジア南部で進行したのが、イスラーム化である。８世紀、中央アジア南部を征服したアラブ人により、当時この地に浸透していたゾロアスター教や仏教などといった宗教は駆逐され、新たにイスラームがもたらされた。中央アジアのイスラーム化はまず中央アジア南部からはじまり、次に約1,000年という歳月をかけて北部の草原や高原の遊牧民の間にも広まっていく。中央アジアの南部と北部では、社会や文化へのイスラームの浸透の度合いは歴史的に異なっていた。過酷な宗教弾圧をおこなったソヴィエト体制が瓦解する前後から起こりはじめたイスラーム復興現象に中央アジア諸国（ウズベキスタン、カザフスタン、クルグズ、タジキスタン、トルクメニスタン）の間で少なからず温度差がみられるのは、このためであると考えられる。ただしイスラーム、とりわけ神を立法者とするシャリーア（一般にイスラーム法。４節で詳述）こそが、さまざまな出自集団が離合集散し、混じり合ってきた中央アジアの社会と文化にゆるやかな統合と秩序をもたらしたという歴史的な事実は見逃されてはならない。

本論では、中央アジアのうち、社会と文化にイスラームが深く浸透したとされる南部のウズベキスタン❷を取り上げる。ウズベキスタンのムスリム社会で

---

❶本段落と次段落の記述はすべて［小松 2003: 4, 6］を参照した。

❷ウズベキスタンでも新型コロナウイルス感染症が大きな社会問題となっている。同国の厚生省社会交流課の発表によれば、2020年8月12日（午前10時）時点におけるウズベキスタンでの新型コロナウイルスの感染者数は7,917人、累計感染者数は32,215人、死亡者数は208人である↗

は、上述したようにシャリーアが歴史的に人々のつながりのかたちを大きく方向づけてきた。ただし、シャリーアとムスリム社会の現実は常に一致してきた訳ではない。そのうえ、この地域のイスラームは20世紀に入り、そのほかの旧ソ連ムスリム地域と同じく、科学的無神論を掲げるソヴィエト体制に組み込まれ、きわめて過酷な弾圧を経験した。この弾圧は、時代によりその過酷さに変化がみられたとはいえ、ソ連共産党第一書記であったミハイル・ゴルバチョフによって開始されたペレストロイカ改革の後期まで続いた。

1989年にイスラームの復権が公式に認められると、自らの民族文化を取り戻そうとする時代的な雰囲気のなかでイスラーム復興現象が生じることになる。とりわけウズベキスタン東部のフェルガナ盆地では、シャリーアの施行を求め、イスラーム国家を樹立しようとする大規模な社会運動が展開されるまでにいたった。それゆえ、ウズベキスタン政府は1990年代後半から、イスラームの政治化をきわめて警戒するようになる。2000年代に入ると、モスクでの礼拝やヴェールの着用など日常的な信仰の実践までもが過度に厳しく取り締まられるようになった。ウズベキスタン政府は、とりわけ初代大統領のイスラム・カリモフ政権期（在任期間1991年９月～2016年９月）の終盤にかけて、近代西洋の世俗主義❸（ならびに個人主義）を支持し、その価値観を国内社会に広げようと努めていったようにみえる。

こうした歴史と政治状況を抱え、憲法で世俗主義を掲げるウズベキスタンでは、ウズベク人を中心に国民の約９割を占めるムスリムと一概に言っても、イスラームにほとんど関心がない人、それを敬遠するないしは好まない人、敬虔なムスリムとしての生き方を積極的に表明する人など、その実態は多様である

---

（https://review.uz/oz/kub［2020年8月12日閲覧］）。ウズベキスタンでは3月上旬頃から海外からの入国者の一定期間の隔離、出入国の禁止、感染者の隔離、都市封鎖、モスクでの礼拝の禁止などが実施されていった。感染者数が増えるにつれて、政府からの特別な許可のない不要不急の外出も制限され、外出時におけるマスクの着用も義務化された。これらの規則に違反した場合には、300万スム（約336米ドル［2020年8月12日時点］）以上の罰金が科せられる（https://www.youtube.com/watch?v=TlbORuuQ-x0［2020年8月12日閲覧］）。新型コロナウイルスがウズベキスタンのムスリムのつながりにどのような影響を与えていくのかは今後見守っていく必要がある。

❸世俗主義とは、宗教の国家原理からの排除を原則として、公の場（教会や寺院、礼拝所などを除く）では非宗教性を保ち、宗教を個人の内面の問題に限定させることを望ましいとする思想であり、多くの場合に政教分離と同義である。20世紀後半からは、多くのムスリムにとって、イスラーム法ではなく近代西洋法への立脚を意味するようにもなった。世俗主義体制下の人間の思考様式には、神の存在と宗教的信仰を「迷信」として軽視し、その代わりに合理主義や科学、理性を至高の価値とみなして、そこから世界を認識しようとする傾向が一般に認められる。この思考様式のうち、神の存在と宗教的信仰を否定するものは「科学的無神論」と呼ばれる。

[帯谷 2016: 163]。このことをきちんと認識しつつ、本論ではシャリーア、とりわけ現在のウズベキスタンの領土に相当する地域で伝統的なスンナ派ハナフィー法学派❹の学説（ウズベク語）に注目し、これを詳しく読み解くことによって、この地の人々の「つながり」（人間関係）の背後にあるイスラームの価値観を明らかにしてみたい。具体的には、結婚❺を主たる題材として取り上げる。現地のムスリム社会の多くの人々が結婚を重んじているからである❻。

以下ではイスラーム、とりわけスンナ派ハナフィー法学派の結婚観について論じていく。この結婚観を現地のムスリムの立場から内的に理解するためには、その前提として私たち人間がなぜ男と女という生物学的な差異をもって生まれてくるのか、イスラームにおける男女の創造についての知識を学ぶ必要がある。

## 1 クルアーンにみる男女の創造――安らぎと種の保存のために

イスラームにおいて生物学的な男女の別は、たとえば親子関係などと同じように決して無化されてはならない重要な関係的な差異である[小杉 2002: 500]。なぜなら、人間を創造したのは唯一神（以下、「神」または「アッラー」と記す）❼であり、その神が人間を１つの生物学的な性（以下、「性」と略して記す）ではなく、男と女という２つの異なる性をもつ存在として創造したからである。イスラームの聖典であるクルアーン（原義は「誦まれるもの」。日本ではかつて「コーラン」と呼ばれたが、近年ではアラビア語の発音にできるだけ合わせて「クルアーン」と呼ばれる）には、この神の御業を知らせる数多くの啓示がある。ウズベキスタンでよく引き合いに出されるクルアーンの啓示は、たとえば以下の３つの章句である。

第１に、クルアーンの第４章（婦人章）第１節である。そこでは「人々よ！　あな

---

❹ イスラームはスンナ派とシーア派に分かれる。主流派であるスンナ派イスラームは、法学的にシャーフィイー派とハナフィー派、ハンバリー派、マーリキー派の４つに主に分かれる。これらは「スンナ派正統４法学派」と呼ばれる。ハナフィー法学派の影響力が大きい地域は、中央アジア以外にインドや中国、トルコ、エジプトなどがある。本論の「イスラーム」の語は原則的にハナフィー法学派を指す。

❺ イスラームで結婚は正式には「婚姻契約」と呼ばれる。本論の「結婚」の語はすべて「婚姻契約」を指す。

❻ アジアバロメーター調査の一環として2003年にウズベキスタンで実施された調査結果によると、大半の人が40歳になるまでには結婚し、未婚者はわずか6.7％であったとされる[ダダバエフ 2005: 218]。筆者がウズベキスタンでのフィールドワーク中に観察した範囲でも、ウズベキスタンの若者で40歳までに結婚していない人はほぼいなかった。

❼ ユダヤ教徒とキリスト教徒、ムスリムは同じ神を信仰する。アラビア語で「アッラー」とは「唯↗

た方を一つの命から創り、その命から配偶を創り、両人〔人類の祖とされる男のアーダムと最初の女であるハウワー❽〕から、多くの男と女を撒き散らし給うたあなた方の主を畏れよ」とされる❾。第2に、クルアーンの第35章（創造主章）第11節である。そこでは「アッラーはあなた方を土から、それから精滴から創り、次いで〔男女を〕一組になされた」とされる。第3に、第51章（撒き散らす章）第49節である。そこでは「またあらゆるものをわれらは対〔雌雄〕に創った。あなた方は訓戒を受け入れるだろう」とある。なお、前者の2つの章句は人間が男性、のちに女性の順に創られたことを知らせるものであるが、男女の起源が同じであること、すなわち男女の同一性ないしは平等を示すものであり、これを異性間の優劣として解釈する必要はないという一般了解がある。

これらの章句が人間、すなわち男女の創造の起源を示していることの重みをムスリムの立場から内的に感じ取るためには、クルアーンとは何かを正しく認識する必要がある。クルアーンとは、マッカを生活の拠点として暮らした行商人ムハンマド（570頃－632❿）が15歳年上の妻ハディージャ（？－619）と結婚し、マッカ郊外のヒラー山の洞窟にこもって瞑想をしていた610年頃、そこに姿をあらわした大天使ジブリール（キリスト教世界では「ガブリエル」）から彼にアラビア語で伝えられはじめた神の御言葉のことである。この啓示は、彼が生涯を閉じるまで続いた。

最後の預言者ムハンマドの没後、彼以外には従わないとしてイスラームから離反する者たちとの間に背教者（リッダ）戦争（632－633）が起こった。この戦争で預言者ムハンマドからクルアーンを学び、暗誦していた教友たちの多くが死んでしまう。この事態を受けたのち、第3代カリフ（「預言者ムハンマドの後継者」の意味）・ウスマーン（在位644－656）の治世になり、それまで口頭でのみ伝承されていたクルアーンを書物として編纂する事業が実施された。こうして、書物としてのクル

---

一神」のことであり、イスラームに固有の神を指す訳ではない。たとえば、アラビア語話者のキリスト教徒も彼らの神を「アッラー」と呼ぶ。

❽アーダムはキリスト教世界では「アダム」、ならびにハウワーは「イブ」の名で知られている。

❾クルアーンの日本語訳は井筒訳［井筒 2007～2008］、三田訳［三田 2000］、ならびに中田訳［中田 2014］を参照した。これらの日本語訳を参照しつつ、クルアーンのウズベク語訳にできるだけ近いかたちで各章句を翻訳した。クルアーンのウズベク語訳はムハンマド＝ユースフ訳［Muhammad Yusuf 2013b］を参照した。なお、引用文中の「……」は筆者による省略を指す。また筆者による補足説明を引用文中に記す場合には〔　〕に入れる。

❿本論で取り上げられる人物の生没年については、主に『岩波イスラーム辞典』［大塚ほか 2002］と『イスラーム百科事典』［Mansur 2017］などを参照した。

アーンが編纂されることになる[11]。

すなわち、クルアーンは神の御言葉そのものである。それゆえ、さきに引用したクルアーンの章句の文言を私たち人間に語りかけてくる存在は神自身であると認識されねばならない。この認識こそがイスラームを内的に理解するための出発点となる。では、神はなぜ人間にあえて男女の性差をもうけたのであろうか。私たちが相互に不要であるなら、男女の性差は生じなかったはずである。この問いについて、神はクルアーンで自らの意図も啓示している。旧ソ連全体で最も傑出したウラマー（イスラーム諸学を修めた知識人）であったと評されるウズベキスタン出身の故ムハンマド＝サーディク・ムハンマド＝ユースフ（1952−2015）[12]（以下、ムハンマド＝ユースフと記す）の筆になる『幸福な家族』での記述を例として取り上げ、神が男女の性差をもうけて人間を創造したその意図をみていこう。

その意図は、第１に人間が異性から「安らぎ」を得て、それをもとに夫婦として人生のあらゆる困難を克服して生きていくためであるとされる［Muhammad Yusuf 2013a: 11−12］。このことを知らせるクルアーンの啓示として、たとえば第30章（ビザンチン章）第21節がある。そこでは「またかれの諸々の徴（しるし）の一つに、あなた方が安らぎを得るよう、かれはあなた方から配偶を創られ、あなた方の間に愛と情を植えつけ給うたことがある。まことに、その中には考え深い民への徴がある」とされる。

ムハンマド＝ユースフはまた、ウズベク語によるタフスィール（クルアーン解釈書）の最高峰と評される自著『新月の解釈書』で、この章句について以下のように詳しく説明している。「至高なるアッラーは人間自体から配偶を創り、人間に授けることを『安らぎを得るために』と言い給う。実際、男はただ女のみから安らぎと平静、穏やかさ、落ちつきを得る。女もまた自らに必要な安らぎ〔と平静、穏やかさ、落ちつき〕を男から得る……至高なるアッラー御自身が夫婦の間に恋と愛、慈悲を植えつけ給わなかったなら、彼らは相互の欠点と困難に耐えることができ

[11] 書物のかたちのクルアーンは「誦まれるもの」としてのクルアーンと区別して「ムスハフ」と呼ばれる。

[12] 彼は中央アジア・カザフスタン・ムスリム宗務局長（在任期間1989−1991）、のちにウズベキスタン・ムスリム宗務局長（在任期間1991−1993）を務めた経歴をもつハナフィー派の法学者である。イスラーム諸学をめぐる深い知識や誠実な人格、信仰の自由のために政権と対峙することも辞さなかった彼の生き方は、数多くの国民の共感を呼んだ。それゆえ、ムハンマド＝ユースフの学説は、彼が逝去したのちの現在のウズベキスタンでも国民の多くから圧倒的な支持を得ている。2016年にウズベキスタンの第２代大統領に就任したシャヴカト・ミルズィヤエフが、公の場でムハンマド＝ユースフへの支持を表明したこともよく知られている。これらのことから、彼の学説をウズベキスタンのスンナ派ハナフィー法学派の立場を代表するものとみなすことに異論はないだろう。

ていたであろうか？　我慢して共に暮らしていたであろうか？」［Muhammad Yusuf 2016c: 446－447］。すなわち、男女の性差をもうけて人間を創造した神の真意は、人間が異性からより深い安らぎを得て、それによって夫婦関係を維持して安寧に暮らしていけるようにという配慮にあるとされる。

男女の性差をもうけて人間を創造した神の意図は、第２に人間が絶滅することなく子孫を残して種を保存できるようにするためであるとされる［Muhammad Yusuf 2013a: 13－14］。このことを知らせるクルアーンの啓示は、第16章（蜜蜂章）第72節である。そこでは「アッラーはあなた方にあなた方自身から配偶をなし、あなた方に配偶から子供と孫をなし、そのうえ良いものから糧を与え給うた」とされる。ムハンマド＝ユースフはまた、この章句について『新月の解釈書』で以下のようにも記している。「〔神が〕男のために女、ないしは女のために男を創造し、授け給うていなかったなら、何がどうなっていたであろうか？　男に男としての、女に女としての属性を授けたのは誰か？　彼らが１つの家族のもとで暮らし、子供に恵まれる幸福を定めとしたのは誰か？」［Muhammad Yusuf 2016c: 349］。そして『幸福な家族』では、この章句について「人間が対、〔すなわち〕男と女として創られた英知の１つが、子供と孫を残し、人類の継続を確保することであることが〔この章句で〕明言される」とわかりやすく説明される［Muhammad Yusuf 2013a: 13］。男女の性差をもうけて人間を創造した神の真意は、種の保存にもある。

イスラームにおける男女の創造の起源には、男女が互いを必要とし合い、自分自身と人類のために「つながり」をもって生きるよう人間に求める神の意図が込められている⓭。ただし、そこでの男女の「つながり」のかたちは、あくまでも結婚（ないしは家族の形成）をとおしたものでなければならない。その根拠は、クルアーンの啓示と預言者ムハンマドのスンナ（言行・慣行）、これらを主要な法源とするシャリーアの規定にある。以下、このことについて順にみていこう。

## 2 クルアーンにみる結婚――神の命令

イスラームにおいて結婚は、クルアーンで神により人間に命じられている。そして結婚し、家族を築いて安寧に暮らすことは、人類の祖とされるアーダムと

⓭ それゆえ、イスラームにおいて同性愛という「つながり」のかたち、ならびに異性装といった行いは、シャリーアで禁止される。

その妻ハウワーからはじまった人間の生き方とされる。前述した『幸福な家族』では、このことを知らせるクルアーンの啓示として、クルアーンの第７章（高壁章）第189節が挙げられている［Muhammad Yusuf 2013a: 14−15］。そこでは「かれこそは、一つの命からあなた方を創り、安らぎを得るためにそこから配偶を創られた御方であられる。ある時、彼が〔配偶を〕包むと、軽い荷を負った〔妊娠した〕。そのまま、彼と歩んだ〔暮らした〕。そのうち重さが加わるようになると〔出産が近づくと〕、２人は主たるアッラーに『もし私たちに良い子を授け給えば、私たちは必ず感謝する者たちとなりましょう』と祈った」とされる。イスラームの世界では、人間社会における家族は、こうしてアーダムとハウワーの営みからはじまった。ただし上記の章句のうち、「ある時、彼が〔配偶を〕包む」との文言には注意が必要である。この文言に「男女が合法的に交わ」る、すなわち結婚ののちに性交するという解説が『新月の解釈書』ではなされているからである［Muhammad Yusuf 2016a: 413］。なぜ「包む」という文言は「合法的に交わる」と解釈されるのか。

ここで参照すべきは、クルアーンの第13章（雷章）第38節である。そこでは「われらは汝〔預言者ムハンマド〕より前にも、使徒たちを遣わし、彼らに妻と子孫を授けた」とされる。すなわち、人類の祖にして最初の預言者でもあったアーダムから、ヌーフ（キリスト教世界では「ノア」）やムーサー（キリスト教世界では「モーセ」）などを経て最後の預言者ムハンマドまで、すべての預言者には妻と子があったことが、ここで示されている。この章句について、『幸福な家族』では「至高なるアッラーは家族をもつこと、結婚すること、ならびに子をもつことがすべての預言者たち――彼らのうえに平安あれ――のスンナであることを明らかにされ給う」と説明されている［Muhammad Yusuf 2013a: 17］。これらのことから、さきに記した「ある時、彼が〔配偶を〕包む」というクルアーンの文言は、預言者アーダムに代表される男がハウワーに代表される女と結婚し（妻を授けられ）、のちに合法的に性交すると解釈されている。

イスラームにおいて結婚は、すべての預言者、とりわけ神の奴僕（しもべ）たる人間に公正な法をもたらした神の使徒の１人にして、最後の預言者に選ばれ、神が人間に命じた最善の生き方を全うしたムハンマドのスンナである。彼のスンナはすべてのムスリムが倣うべき生き方の指針とされる。クルアーンの第３章（イムラーン家章）第31節では「言え、『もしアッラーを愛するなら、私〔預言者ムハンマド〕

に従え。そうすればアッラーはあなたを愛し、あなた方の罪を赦し給う。アッラーは奴僕たちに慈悲深くあられる』」とされる。ムハンマド＝ユースフは自著『軋轢：原因と解決』のなかで、この章句に言及したうえで「アッラーに愛があることを主張する者は、ムハンマド──彼に平安と祝福あれ──に従うように。アッラーに愛されたいと切望する者も、ムハンマド──彼に平安と祝福あれ──に従うように……ムハンマド──彼に平安と祝福あれ──に従わない者たちは、至高なるアッラーに愛があるなどと主張しないように、そして至高なるアッラーの愛を期待しないように……」と述べてさえいる［Muhammad Yusuf 2016d: 190－191］。

以上をまとめよう。神はクルアーンで人間に結婚を命じている。しかし、そこで結婚はそれほど直接的な表現では命じられておらず、預言者ムハンマドのスンナに倣って生きるようにというかたちで間接的に命じられている。イスラームの結婚観を理解するためには、預言者ムハンマドのスンナへの注目が鍵となる。

## 3 スンナにみる結婚──預言者ムハンマドによる強い推奨

預言者ムハンマドのスンナを記録した書（言行録）にして、イスラームの第２の聖典とされるハディース[14]で結婚は、直接的な表現で強く推奨される。ここでは、『幸福な家族』で取り上げられている結婚に関するハディースのうち、その一部を紹介する［Muhammad Yusuf 2013a: 18－22］。第１は、預言者ムハンマドが宗教的大罪である姦通（婚外の性交渉）からではなく、結婚から生まれたことを誇ったという言行を伝承するものである。「ジャアファル・イブン・ムハンマドが彼の父から伝えられたところによると、神の使徒──彼に平安と祝福があらんことを──は述べられた、『もちろんのこと、高貴にして崇高たる神は私を婚姻から生じさせ給うたのであり、姦通から生じさせ給わなかった』と」（バイハキーによる伝承）。すなわち、結婚は預言者ムハンマドが誇ったほどに重要な営為であるとされる。

第２は、預言者ムハンマドが結婚できる者には結婚を、結婚できない者には断

[14] スンナ派正統４法学派の主要なハディース集（いわゆる九書）の編者は、ブハーリー（810－870）、ムスリム・イブン・ハッジャージュ（817/821－875）、アブー・ダーウード（817－889）、アブー・イーサー・ティルミズィー（825－892）、ナサーイー（830－915）、イブン・マージャ（824－887）、イブン・アナス・マーリク（708/716－795）、ダリーミー（797－869）、イブン・ヒッバーン（?－965）である。それ以外の著名なハディース集の編者としては、アフマド・イブン・ハンバル（780－855）やバイハキー（994－1066）などがいる。

食を推奨したことを伝承するハディースである。「アブドゥッラー——彼に神の御満悦あれ——が伝えたところによると、神の使徒——彼に平安と祝福あれ——が『若者たちよ、結婚できる者は結婚するように。必ずや、それ〔結婚〕は目を遮り、陰部を護るものである。〔結婚〕できない者は必要なだけ断食をするように。これは彼にとって去勢である』と述べられたのを私は聞いた」(ブハーリー、アブー・イーサー・ティルミズィー、アブー・ダーウード、ムスリム・イブン・ハッジャージュ、ナサーイーによる伝承)。なお、ここでの「結婚できる者」とは、物質的・精神的・身体的な観点からの結婚の能力を意味する。すなわち、この意味で結婚できる者は、異性を性的なまなざしでみず、陰部を姦通から守るために結婚する必要があるとされる。一方、経済的に貧しい、ないしは結婚ののちに配偶者を精神的・身体的に苦しめる可能性があるなど結婚の能力を欠く者は、断食をして性欲を抑える必要があるとされる。

第3は、イスラームでは遁世や出家生活が禁じられること、ならびに結婚がすべての奴僕たちのなかで神を最も畏怖する預言者ムハンマドのスンナであることを伝承するハディースである。「アナス——彼に神の御満悦あれ——が伝えたところによると、3人からなる集団が預言者——彼に平安と祝福あれ——の妻の家に預言者——彼に平安と祝福あれ——が神をいかに崇拝しているについて訊ねにやって来た。そして彼らに〔これについての〕返答がなされたが、〔その返答は〕まるで〔預言者ムハンマドが〕それ〔神への崇拝〕を軽視しているかのようになってしまった。すると、彼らは『私たちは何者で、預言者——彼に平安と祝福あれ——は何者であられるか。かの方の悪行が赦されることはすでに約束されているのだ』と言った。彼らの1人は『私は毎晩礼拝して過ごす』と言った。別の1人は『私は一生涯、断食をする。飲食はしない』と言った。さらに別の1人は『私は女たちを忌避する。絶対に結婚しない』と言った。〔すると、〕神の使徒——彼に平安と祝福あれ——は彼らの前にやって来て、『かくかくしかじかと言ったのはあなた方ですか!? 神に誓うが、私はあなた方のなかで神を最も恐れる者にして、かの御方を最も畏れる者である。しかし断食もすれば、飲食もする。礼拝もすれば、眠りもする。女たちと結婚もする。私のスンナから顔を背ける者はわが同胞ではない』と述べられた」(ブハーリーとムスリム・イブン・ハッジャージュ、ナサーイーによる伝承)。すなわち、結婚の能力があるにもかかわらず、結婚せず、家族の形成を放棄することは、ムスリムとして正しい行いではなく、預言者ムハンマドに従う者とはみなされないとされる。

このようにハディースにおいて結婚は、直接的な表現で強く推奨される。これらのハディースの内容について、ムハンマド＝ユースフは『幸福な家族』のなかで、より性欲の観点に引きつけるかたちで平明に説明している。その要点を以下に紹介しよう［Muhammad=Yusuf 2013a: 21－22］。神は人間を創造したさい、人間に安らぎを、人類に将来を与えるべく、男と女に性欲をつくった。性欲を満たさないことは神が人間に授けた本能に逆らうことであり、健康に良くない。しかし、性欲を不浄なやりかた、すなわち姦通によって満たすことはすべての預言者、とりわけ最後の預言者ムハンマドのスンナに従わないうえ、親子関係の非同定、家族の希薄化、病気の氾濫、社会の退廃などさまざまな災厄をもたらす原因となる。それゆえ私たち人間は性欲を、預言者ムハンマドのスンナに従い、結婚して家族を形成したのちに合法的に満たさなければならない。以上のことから、イスラームにおいて結婚は「姦通の回避」という観点から人々の「つながり」を方向づけるものであると言えるだろう。

## 4 結婚をめぐるシャリーアの規定──夫婦の尊重と個人の自由

スンナ派正統4法学派（注4参照）のうち、シャーフィイー法学派を除くすべての派において結婚は、ウラマーたちの間での合意（イジュマー）により、神を崇拝し、神に服従する行為であるとされる［Muhammad Yusuf 2013a: 32］。なお、ウズベク語で「結婚」を意味するのは、アラビア語起源の「ニカーフ」という言葉である。この語は本来「結合」、「集合」、「近接」といった意味をあらわし、シャリーアでは「愉悦の所有を生起させるつながり」を指すとされる［Muhammad Yusuf 2013a: 19］。すなわち、イスラームにおいて結婚とは、愉悦を所有する、換言すれば生の充実を得ることを目的として男女が「夫婦」として結合する敬神的な行為と定義できる。

シャリーアは、クルアーンを第1法源、預言者ムハンマドのスンナを第2法源、ウラマーたちの間での合意を第3法源とするなど、いくつかの法源[15]からムジュ

[15] 法源学においてシャリーアの規定を引き出すさいの法源の優先順位は、第1法源から第10法源の順に、クルアーン、スンナ、イジュマー（合意）、キヤース（類推）、イスティフサーン（法的推論の方法の1つ）、無記の福利、慣習、イスティスハーブ（事情継続の推定）、イスラーム以前の法、そして教友の意見である。用語の翻訳に関しては、アブドル＝ワッハーブ・ハッラーフによる著作の邦訳書［ハッラーフ 1984］、ならびに『岩波イスラーム辞典』［大塚ほか 2002］を参照した。

タヒド（法学者）が特定の方法論により導きだした規範の体系である。シャリーアに合致する日本語はなく、それは一般的には「イスラーム法」と訳される。シャリーアの最大の特徴は、世俗法の立法者が人間であるのに対して、その立法者が神であるという点にある。それ以外にもシャリーアには、それが学者の知的営為により法源から引き出されることから、学説（学説法）のかたちをとるという独自性がある。したがって、理論的にはムスリム社会では学者の数だけ学説が存在することになる。しかし、10世紀頃に成立したスンナ派正統４法学派間もしくは各法学派内には通説（有力な学説）が存在しており、そこには上述したように一定の合意があることが多い。

総じて言えば、イスラームにおいて結婚は、神の命令（クルアーン）と預言者ムハンマドのスンナ（ハディース）、ウラマーたちの間での合意を法源として、シャリーアにその規定をもつ［Muhammad Yusuf 2013a: 34–35］。シャリーアの規定の１つである行為の５類型にもとづき、ハナフィー法学派の通説としての結婚は、男性の立場から以下のように規定される［Muhammad Yusuf 2013a: 35–36］。第１に、結婚が義務行為（ファルズ・ワージブ）とされるのは、結婚しないと姦通を犯してしまう可能性がある一方、経済的に結婚する能力があり、結婚したのちに配偶者を精神的・身体的に苦しめることなく真摯に生活を営めると自認する者である。第２に、結婚が禁止行為（ハラーム）とされるのは、経済的に結婚する能力がなく、結婚したのちに配偶者を精神的・身体的に苦しめてしまう可能性があると自認する者である。第３に、結婚が忌避行為（マクルーフ）とされるのは、経済的に結婚する能力がなく、結婚したのちに配偶者を精神的・身体的に苦しめてしまう可能性があると恐れてはいるが、確信にまではいたっていない者である。第４に、結婚が強い推奨行為（スンナ・ムアッカド）とされるのは、性格が穏やかであり、姦通の可能性もなく、経済的に結婚する能力があるうえ、結婚したのちに配偶者を精神的・身体的に苦しめる可能性がない者である。このタイプの人々は一般的に言って、社会の多数派を占めるだろう。ハナフィー法学派のウラマーたちによれば、このスンナ・ムアッカドは義務行為に等しいとされる。それゆえ、こうした状態にある者が結婚しないことは非難に値する行為となる。第５に、結婚が許容、すなわちしてもしなくてもいい行為（ムバーフ）とされるのは、結婚願望がないうえ、結婚が禁じられる要素も持ち合わせていないと自認する者である。

すなわち、シャリーアの規定において結婚は、「姦通の回避」という観点から未婚の男女に「夫婦」としてつながることを強く推奨するものである。ただし、それは配偶者の一方が結婚ののちに他方により経済的・精神的・身体的に苦しめられることがあってはならないという原則にもとづき、個人の自由に委ねられている部分が大きいと言える。

## *5* 結婚の世話焼き――未婚社会を生まない宗教の仕組み

イスラームでは独身者の結婚の世話を焼くことも、神により強く命じられている。クルアーンの第24章（光章）の第32節では、「あなた方のうち、独身者、また奴隷の男と女で善良な者を結婚させよ。たとえ貧しくとも、アッラーは彼らを御自身の御恵みから富ませ給う。アッラーは広大にして、すべてを知り給う御方」とされる。前掲の『新月の解釈書』では、この章句について以下のような説明がなされている。「このアーヤ〔クルアーンの章句を構成する神の徴たる節〕で至高なるアッラーはムスリム社会に呼びかけ、『あなた方のうち、独身者、また奴隷の男と女のうち善良な者を結婚させよ』と命じる。それゆえ、ムスリム社会の構成員たちは自らの周囲に独身者が残らないように努める必要がある。主人は奴隷の男女に善良な者の性格を認める場合、彼らの結婚の手助けをする必要がある[16]。だからこそ、今日までムスリム社会では成年に達した若者にできるだけ早く結婚する、ないしは何らかの理由で家族をなくした男女に結婚するよう求める傾向が強いのである……一部の人々はさまざまな口実をつけ、結婚と家族の形成を後回しにする。こうした口実のうち、最もよく使われるものは貧しさである。だからこそ、このアーヤの続きにおいて、こうした口実により結婚を後回しにすることは良くないと強調されるのである。『たとえ貧しくとも、アッラーは彼らを御自身の御恵みから富ませ給う』。すなわち、貧しさを口実にして結婚から逃避しないように、そうではなく結婚を望むように〔と神は述べ給う〕。家族を築いたのちに真面目になり、家族の経済生活を考え、真摯な努力をすることで経済状況が改善されたという例は、実際によくある」［Muhammad Yusuf 2016c: 151－152］。

[16] 奴隷が人としてみなされていなかった時代、このクルアーンの啓示は主人の所有物であった奴隷も結婚する必要があることをムスリムに命じた点で画期的であったとされる［Muhammad Yusuf 2013a: 27］。

結婚を後回しにすべきではないという神の命令を強化するハディースも存在する。「アリー——彼に神の御満悦あれ——が伝えたところによると、預言者——彼に平安と祝福あれ——はかの方に『アリーよ、3つのことがらを後回しにするな。礼拝時間になったさい、葬儀をする必要が生じたさい、そして夫のいない女がふさわしい相手をみつけたさいには』」(アフマド・イブン・ハンバル、イブン・マージャ、アブー・イーサー・ティルミズィー、ハーキムによる伝承)[Muhammad Yusuf 2013a: 25]。すなわち、結婚は礼拝と葬儀にならんで後回しにしてはならない3つのことがらの1つであるとされる。このハディースは、独身者の迷える心を結婚に誘うだけでなく、他人も独身者に結婚の世話を焼くという「仲人の文化」を社会にもたらすものでもある。

ムスリム社会では、正当な理由なく結婚しない人がいなくなるよう、さまざまな努力がなされる。ムハンマド=ユースフは前掲の『幸福な家族』で、親と後見人の役割に注目して、およそ以下のように記している[Muhammad Yusuf 2013a: 27-28, 355]。成年に達した息子や娘を結婚させ、家族を築かせることは、とりわけ両親や彼らの後見人の義務である。成年に達したばかりの若い男女には、家族とは何か、それをどのように築くのかなど、結婚についての知識と経験がないからである。それゆえ、「人生の商い」とも言われる結婚を独身者たちだけに任せてはならない。家族を築いた経験をもつ親は、自らの子供たちが結婚で苦労することがないように、結婚の世話焼きをする必要がある。親がいない場合には、親戚が彼らの後見人、すなわち監督者となる。そうした人がみつからなかった場合には、社会的に権威のある人が彼らの監督者となるべきである。これらのことが考慮され、成年に達した独身者には結婚の世話を焼いてもらう権利がある、と説かれることさえある。このようにして、人々は結婚をとおして社会的に1つにつながっていく。

ただし、こうした仲介の文化を配偶者選択に関して個人の自由を制限するものとしてイメージすべきではない。なぜなら、シャリーアの規定において婚姻当事者の同意がない強制的な結婚は許されないからである。この規定を引き出す根拠となる法源として、たとえば、預言者ムハンマドが自身の娘たちの結婚にさいして彼女たちの気持ちを最優先したことを伝承する以下のハディースが挙げられる。「アーイシャ——彼女に神の御満悦あれ——が伝えたところによると、神の使徒〔預言者ムハンマド〕――彼に平安と祝福あれ――は〔自らの〕娘たちを結婚させようとする時はいつも、娘の〔部屋の〕帳(とばり)のまえに座り、『誰それが某女を〔結婚したい相手として〕記している』と言い、そこに記されている男の名前もお伝えになっていた。彼女が〔同意の証として〕沈黙している場合、〔彼は娘を〕結婚させた。〔彼女にとってその男が〕気に入らなければ、娘は帳を指ではじいた。娘が帳を指ではじく場合、〔預言者ムハンマドは〕彼女を結婚させなかった」(アフマド・イブン・ハンバルによる伝承)[Muhammad Yusuf 2013a: 84－85]。

## 6 結婚の意味――個人と家族、社会の幸福

昨今の日本社会など、近代西洋の世俗主義が宗教より尊ばれるようになった社会では、「自由」ないしは「個人の自由」こそが至高の価値とみなされて久しい。そのなかで「性の解放」(特に婚前交渉)も個人の自由を尊重する望ましい考え方であるとみなされるようになった。結婚し、家族を築くと、自由な性行動が制限されてしまう。そのうえ、自分がしたいと思っていることも自由にできなくなってしまう。現在では「結婚の何がいいのか」など、結婚の意味は忘れ去られてしまったかのようにみえる。こうした風潮は、卵子の老化や閉経など時間的制約によって生殖機能を失ってしまう女性よりも、男性により顕著に認められるかもしれない。結婚しないことで残る不安は遠い先の孤独死の問題ぐらいになったと言うのは、言い過ぎであろうか。

イスラームの結婚観と近代西洋の世俗主義的な結婚観との大きな違いの１つは、「婚外の性交渉」にまで個人の自由を適用するか否かという点にある。シャリーアの規定において婚外の性交渉は、未婚者の場合には鞭打ち、また既婚者の場合には死刑となるほどの宗教的大罪であり、個人の自由が適用されてはならない領域である。この領域にまで個人の自由が適用された、いわゆる「先進国」とされる国々の社会の状況をムハンマド＝ユースフは『幸福な家族』で、以下のように観察している[Muhammad Yusuf 2013a: 4－7, 30－31]。人類の繁栄(種の保存)に貢献する最良の方法(または制度)として神が定めた結婚を「人間の性的自由を制限する抑圧」、ならびに家族を「自由の牢獄」とみなす人々が一定数に達した社会では、性と結婚(家族の形成による人口増)が分離されたことの必然的な帰結

として、人口が急激に減少し、今も減少している。結婚せず独身のままでいることは当たり前のこととみなされるようになった。姦通は、異性を引きつける魅力をもっていることの証拠として、姦通者に矜持をもたらすようになった。そして結婚すること、ならびに家族をつくることは「今の時代に合わない因習にとらわれること」と感じられるようになった。これらの変化の「成果」として、そうした社会は人口の年齢構成の点で「年金生活者の故郷」になり、年金制度の破綻などさまざまな問題を抱えている。そのほか、HIVなどの病気や精神疾患も社会に広まった。生きること、子孫を残すこと、ならびに子供を躾けることに無関心な人々も増えた。家族と親戚への愛情が薄れ、社会的なつながりも弱まった。

近代西洋の世俗主義がもたらす社会への負の影響を見定めたうえで、ムハンマド＝ユースフは同書のなかで続けて、イスラームにおける結婚の意味を以下のように総括して述べる［Muhammad Yusuf 2013a: 18, 31−32］。イスラームは、結婚（ならびに結婚したのちに形成される家族）を人間のつながりのなかで「最も神聖な紐帯」に高めた。結婚が神の命令と預言者ムハンマドのスンナにもとづき、ムスリムの証人らの前で結ばれるからである。この神聖な紐帯たる結婚により、他人であった人々は姻族となる。姻族となった人々は、相互に社会関係を発展させ、友好と愛情の絆を育んでいく。そのなかで人間は充実感を得て、自らの権威と信望、名声を保持する。また結婚によって人間には意欲が生じるがゆえ、安堵感と幸福感が確保される。そして「家族」と名づけられた「壮麗な住み処」が築かれる。そこでは、夫婦や子供、孫、曾孫らが相互に頼り合って暮らす。そこから広がっていく親戚関係には、特別な親近感と安定感が生まれる。こうして「家族」という名の「小さな社会」が生まれる。この意味での家族が相互につながっていく結果として、大きな安定した社会がつくられる。

科学的無神論が国是とされた約70年間におよぶソヴィエト時代、イスラームの結婚観をこのように望ましいものとして語ることは原則的に許されなかった。この状況はペレストロイカ後期に変化し、たしかにウズベキスタンでもイスラーム復興現象が起こった。しかし、カリモフ政権は2000年代いらい、イスラームの存在感が社会で高まることを過度に恐れるがゆえに、宗教的に敬虔に生きようとしているだけの市井のムスリムたちへの弾圧を強めた。こうした国家意思のもと、近代西洋の世俗主義がウズベキスタンの国内全体にいっそう浸透したのである。韓国や南米など旧西側の恋愛ドラマのテレビ放送に、人々はますます夢中になっていった。2005年頃からは海外に出稼ぎに行く男性が急増したことにより⑰、男性不在の状況が生じ、伝統的な男女役割は変化した。携帯電話、のちにはスマートフォン（インターネットやSNSなども含む）の爆発的普及によって、新しいかたちのプライバシーも登場した。これらを要因として、ウズベキスタンでは姦通の増加など、一部の人々の間での性的なモラルの低下が社会問題になった。

この問題はまもなくして「ムスリムとしてのウズベク人」というアイデンティティーの問題と結びついた。ムハンマド＝ユースフをはじめとする国内のイスラーム学者たちが、モラルの欠如したムスリム社会のあり方を改善すべく、より積極的な言論活動を展開したことが、その証左の１つである。ウズベキスタン政府もまた、この問題を重く受け止めたに違いない。なぜなら、ムハンマド＝ユースフらの筆になる宗教書籍の出版と再版、ならびに金曜礼拝などでの説教を収録したCDの販売が確実に促進されたからである。そののち、2016年12月にシャヴカト・ミルズィヤエフがウズベキスタンの第２代大統領に就任し、故ムハンマド＝ユースフへの敬意を公式に表明すると、国内のイスラーム学者がおこなう言論活動に対する政府の容認姿勢は強まった。こうしてイスラームの結婚観は現在、ウズベキスタンのムスリム社会で若者を中心に再び注目を集めるようになっている。本論で取り上げたムハンマド＝ユースフが語る結婚観は、国内の若者の一部が近代西洋の世俗主義な結婚観に傾倒することに歯止めをかけると同時に、「ムスリムとしてのウズベク人」という集団のアイデンティーの保持にも一定の貢献をなしていると考えられる。

イスラームにおいて結婚は、１人の人間が充実して生きること、ならびに家族（小さな社会）と社会（家族の集合）が安定して保持されることを有機的に結びつける結節点となっている。私たちは結婚をとおして、親や兄弟姉妹、親戚、他人らと豊かにつながって生きていく可能性を高めることができる。イスラームでは、これらのことが「結婚の意味」として論理的に説かれている。結婚に積極的な

⑰ 1991年のソ連解体は同連邦を構成していた各共和国に独立をもたらした一方、深刻な経済的打撃を与えた。社会主義の計画経済体制から資本主義の市場経済体制への移行にともなうさまざまな構造的問題が生じたからである。ウズベキスタンの人々は、半自給自足的な生活と相互扶助を原則に、2004年頃までは国内都市部での出稼ぎ労働により体制移行期の経済的困難に対処しようとした。しかし、国内産業が育たず、経済的困難がさらに深まったことを主な理由に、2005年頃からは外国での出稼ぎ労働が経済的困難に対処するための最も重要な手段になった。

意味を見出しにくい現代の日本社会において、こうしたイスラームの結婚観を学ぶことには多少なりとも意義があるのではないだろうか。

## 参考・参照文献


井筒俊彦訳（2007～2008）『コーラン』（上）（中）（下）東京：岩波書店（岩波文庫、（上）第59刷、（中）（下）第59刷発行）。

大塚和夫・小杉泰・小松久男・東長靖・羽田正・山内昌之編（2002）『岩波イスラーム辞典』東京：岩波書店。

帯谷知可（2016）「社会主義的近代とイスラームが交わるところ――ウズベキスタンのイスラーム・ベール問題からの眺め」村上勇介・帯谷知可［編］『融解と再創造の世界秩序』（相関地域研究２）、東京：青弓社、161-183頁。

小杉泰（2002）「女性」大塚和夫・小杉泰・小松久男・東長靖・羽田正・山内昌之［編］『岩波イスラーム辞典』東京：岩波書店、500-501頁。

小松久男（2003）「中央アジアのイスラーム復興――フェルガナ地方を中心に」慶應義塾大学地域研究センター［編］『21世紀とイスラーム――その多様性と現代的課題』東京：慶應義塾大学出版会、3-34頁。

ダダバエフ、ティムール（2005）「ウズベキスタン：ソ連崩壊後の現実」猪口孝、ミゲル・バサネズほか編著『アジア・バロメーター　都市部の価値観と生活スタイル――アジア世論調査（2003）の資料と分析』東京：明石書店、205-232頁。

中田考［監訳］（2014）『日亜対訳クルアーン』東京：作品社。

ハッラーフ、アブドル＝ワッハーブ（中村廣治郎［訳］）（1984）『イスラムの法――法源と理論』東京：東京大学出版会。

三田了［訳］（2000）『日亜対訳・注解　聖クルアーン』東京：宗教法人日本ムスリム協会（第６刷発行）。

Mansur, Abdulaziz (tahriri ostsida).（2017）*Islom. Entsiklopediya*, Toshkent: «O‘zbekiston milliy entsiklopediyasi» Davlat ilmiy nashriyoti.〔『イスラーム百科事典』〕

Muhammad Yusuf, Shayx Muhammad Sodiq.（2013a）*Bahtiyor oila*. Toshkent: «HILOL-NASHR» nashriyoti.〔『幸福な家族』〕

――――――.（2013b）*Qur’oni Karim va o‘zbek tilidagi ma’nolar tarjimasi*. Toshkent: «HILOL-NASHR» nashriyoti.〔『聖なるクルアーンとウズベク語による意味の翻訳』〕

――――――.（2016a）*Tafsiri Hilol*. 2-juz (Tuzatilgan va to‘ldirilgan qayta nashr). Toshkent: «HILOL-NASHR» nashriyoti.〔『新月の解釈書』第２巻（修正・補足版）〕

――――――.（2016b）*Tafsiri Hilol*. 3-juz (Tuzatilgan va to‘ldirilgan qayta nashr). Toshkent: «HILOL-NASHR» nashriyoti.〔『新月の解釈書』第３巻（修正・補足版）〕

――――――.（2016c）*Tafsiri Hilol*. 4-juz (Tuzatilgan va to‘ldirilgan qayta nashr). Toshkent: «HILOL-NASHR» nashriyoti.〔『新月の解釈書』第４巻（修正・補足版）〕

――――――.（2016d）*Ixtiloflar: Sabablar, yechimlar*. Toshkent: «HILOL-NASHR» nashriyoti.〔『軋轢：原因と解決』〕

座談会
II

# 「つながり」を取り戻す比較文化力の可能性

## ネットから離れて未知のフィールドへ

●参加者●

小河久志＋桑野萌＋小西賢吾＋坂井紀公子＋藤本透子＋山極寿一＋山田孝子＋和崎聖日

「理解する」のではなく、身体感覚による信頼の獲得に向けて
直観と衝動にしたがって
異文化の世界に飛び込んでみましょう。
“we”の感覚を共有し、困難なときにも寄り添いあえる
新たな仲間が得られるはずです

# いかにして分断を回避し縁をつなぐか
## ——衝突と回復の人類史的知見から

**日本の暮らしに「型」として残り人をつなぐ宗教**

**小河久志●**人間にとって血縁、地縁、職縁といった「つながり」の重要性は変わらないはずですが、残念ながら近年の日本では人の「つながり」が弱体化していて、今後さらに弱まるのではないかと予想されています。そこで考えてみたいのは宗教の役割です。現在の日本において、宗教はふれてはいけないもの、ふれづらいもののようになっているとも感じますが、今後「つながり」を再生・回復することを考えたときに、日本における宗教はどうあるべきでしょうか。

**山極寿一●**現代の多くの日本人にとっては、神道も仏教も信仰というレベルではなく、もはや文化のレベルになっていると感じます。しかし、生活習慣や年中行事として、人びとのあいだにしっかり根づいている。外から見れば、日本人はおかしなことをたくさんしていますね。年末年始にかけて、まずはクリスマスを祝い、除夜の鐘をつき、神社に初詣に行く。まるで三つの宗教のハシゴです。でも、そうして文化になっているからこそ、なかなか消えない。祭りもそうですよね[1)]。キリスト教やイスラームのように信仰で人びとがつながるのではなく、かつて宗教であったものが文化として人びとの生活習慣に受け継がれている。それが色濃く継承されているところでは、地域の力や人びとの「つながり」は、簡単には壊れない気がします。

２年ほど前にドナルド・キーン[2)]さんと話したとき、彼は「京都は世界でも珍しい都市だ」と言っていました。「ロンドンもパリもローマも、昔の遺跡は残っているけれども、昔の人びとの暮らしが日常生

---

1) 祭りが共同体を維持する力については、本シリーズ第３巻『祭りから読み解く世界』を参照。宗教的な意味合いが薄れても祭りは人びとをつなぐ機能を持つ。

2) ドナルド・キーン（1922～2019年）はアメリカ合衆国出身の日本文学研究者、文芸評論家。18歳のときにアーサー・ウエーリ訳『源氏物語』に感動して以来、川端康成、谷崎潤一郎、三島由紀夫などと交流しつつ日本文学を研究し、海外に紹介した。1953年には京都大学に留学している。

活のなかに残っているのは京都だけだ」と言うわけです。「平安時代の暮らしの面影が、部屋に置かれた調度品、人の立ち居振る舞い、さらには庭のつくり方など、さまざまな形態をとっていまだに人びとの意識のなかに沈潜している。世界に類を見ない」という発言が印象的でした。大多数の日本人は、信仰心は強くないかもしれませんが、宗教を文化として継承している。逆に言うと、その文化として残っている部分すら失われてしまうと、「つながり」への影響が大きいかもしれません。

**山田孝子●**関連して言うと、チベット仏教のお坊さんは必死に仏教を学んで修行して専門家の役割を果たすわけですが、それ以外のチベット人にとってのチベット仏教というのも、やはり生活なんですね。日本と同様に、守るべき仏教の規範などが日常生活のなかに残っている。

それは難民として欧米に出たチベット人たちも同様です。彼らは行った先々の都市で仏教センターをつくります。そこには現地の欧米人たちが来て瞑想などをするのですが、そこに来る欧米人と、その都市に暮らすチベット人とはあまり交わらず、それぞれ別個に宗教活動を行うことが多い。チベット人に聞くと、「欧米の人たちが求めているものと、私たちの仏教とは違う。私たちのチベット仏教は、暮らしのなかで実践するものだ」と言いますね。

**山極●**そこで私が重要だと感じるのは、日本人の文化というのは「型」であるということです。本質は完全に変わってしまっています。仏教にしても、たとえば食生活では肉も食べるし、かつてとは完全に違うけれども、庭のつくりや和服といったかたちで、型が残っている。中身はまったく違っても、その型を残して共有しているがゆえに、まとまりがよく、文化の体を成しているわけです。

型だけを残すことが許されるという点が信仰とは違うところで、興味深い部分です。信仰というのは倫理を規定するものですから、「これを破ってはいけない」という掟がたくさんあって、結界が張りめぐらされています。禁忌にがんじがらめにされているわけですが、日本人は型を残しているだけで、あとは野放図に戒を犯している。

ただし、型を破ったときにはたいへんな非難を受ける。だからこそ、お茶の作法などは厳しいですね。お稽古事になるとみんなそうです。その作法に従わないと叱られますが、守るべき中身についてはあまり言われないように思います。

**桑野萌**●日本の型とは違いますが、キリスト教でも、文化の継承という面で同様の現象があります。信仰と戒律の話が先ほどありましたが、いわゆる規律としてのキリスト教に関しては、「教会離れ現象」が見られます。とくにスペイン、イタリアなどのヨーロッパの若者を中心に、「個人的に神様とつながっていればいいじゃないか」という考えの人が多い。かつては幼児洗礼が当たり前でしたが、洗礼は受けないし、教会にも行かない人たちが増えています。戒律・規律を守らない。

けれども、スペインで１月６日の公現祭[3]の日に行われる子ども向けのお祭りには、洗礼を受けている・いないにかかわらずみんな参加します。復活祭の前の聖週間にはアンダルシア地方などでは盛大なお祭りがありますが、それにもみんなこぞって参加する。日本と同じような文化としての宗教の継承が始まっているように感じますね。

## 「型」としての家族の賛否——日本とカザフの家督継承

**山極**●型に関連してとりわけ日本が特徴的なのは、日本の場合は家族も型なんですね。つまり父系も母系もない。江戸時代にとくに多く例が見られますが、子どもができなければ男の養子を迎えて、その養子に嫁をとらせてまったく血縁のない子どもたちに家を継がせたり、夫婦養子[4]をもらったりすることが日常茶飯事だったわけです。

家族が型であることは、牧畜が発達しなかったことと関係している

---

3）降誕したキリストの栄光が公に現れたことを記念する祝日。復活祭、聖霊降臨祭とともにキリスト教最古の三大祝日の一つとされる。

4）子どもがいない家が男女とも夫婦として養子にすること。男の養子を迎えてその養子に嫁をとる形態は「両もらい」と呼ばれることもある。

のではないかと私は考えています。牧畜では繁殖をコントロールしますから、血統を大事にする。しかし日本ではさまざまな理由から牧畜が普及しなかったので、血統についてほとんど頭にありません。だからこそ型を大事にしたのだと思います。由緒ある名家とされる家は、ある時点で夫婦養子をとって血統としては途絶えていても「ずっと続いている」と主張するし、周囲もそう認識する。実際は違いますよね。だけど、型としての家が残っていることが重要だと考えるわけです。

**小西賢吾**●牧畜民にとって血統が大事だというのは、カザフスタンのムスリムでもそうですか。

**藤本透子**●カザフ人が父系の出自を大事にしていることは、実際に強く感じますね。日本の婿養子の話をすると、「それは『子犬婿』と呼ばれることで、嫌われるんだ」と、ものすごく嫌な顔をされます。（笑）

また、そうまでして家というものを続けるという感覚自体が理解できないようで、嫌そうな顔をされながら問い質されます。拒否感もかなり強い。親戚でもない別の家から養子をとって家を継ぐ、母方の親戚から誰かが来て継ぐといったことも、よくわからないと言われます。養子に入るにしても父系親族が普通ですから、日本のような感覚はカザフ人にはまったくないですね。

**山田**●ラダッキ[5]も日本と同じで、娘しかいなければ、婿をとって継がせる。娘も息子もいなければ、建前としては妻方の親戚から一人、旦那方の親戚から一人を迎えて結婚させて継がせます。ですから、ラダッキの家もある意味では型です。やはり農耕社会、とくに財産としての土地と強く結びついた社会では、こうした相続が見られます。

## 共食に時間とお金をかける意義と可能性

**坂井紀公子**●型を大事にする日本において、これから「つながり」を回復する、深める、もしくは「つながり」をあらためてつくると

5）インドの旧ジャム・カシミール州トランス・ヒマラヤ山脈地帯のラダックに暮らすチベット系の民族。その婚姻と家督相続については本シリーズ第4巻『文化が織りなす世界の装い』78ページも参照。

◀ **写真1**
**共同調理と共食**
調理をともにし、食事をともにすることは空間の共有であり、それを繰り返すことが信頼の醸成につながる。こうした人類の共食の歴史は人間の祖先が熱帯雨林を出たころにまで遡る〈本書9ページからの山極寿一による論考も参照〉。写真はウガンダのCBO(Community-Based Organization：地域組織)のパーティの準備のようす

きに、「食べること」がポイントになると私は感じています。とはいえ、新型コロナウイルス感染症の蔓延と外出自粛を経験したいま、具体的にはまず何から取り組むのがいいのでしょうか。

**山極**●緊急事態宣言が出されているような状況下は別として、外出できる状態になったら、まずは「食事がシェアであること」を明示的に表すような共食の機会を多く設けることだと思います。誰かと一緒に、分けあって食事をする。そして食事にもっとお金と時間を使うべきだと思います。現代の日本のレストランのなかには、凝った演出がされていたり、華やかなところもありますね。食べる場所をどう演出するかに関しては、若い人も敏感になってきているように感じます。

大阪で万国博覧会が行われた1970年ごろ、いずれ人間の食料は丸薬状の宇宙食のようなものになって、そこに栄養はすべて入っていて味もよく、食事はそれを一粒のめばすむという話があったことを憶えています。ところが、結局そうはならなかった。

現在でも、中食[6]という文化も定着する一方で、コンビニエンス・

---

6) 飲食店などで料理を食べる「外食」、手づくりの家庭料理を自宅で食べる「内食」に対して、惣菜やコンビニ弁当などの調理ずみ食品を購入してきて自宅で食べること。2018年時点で惣菜の市場規模は10兆円を超えていると言われる［一般社団法人日本惣菜協会 2019］。

ストアやスーパーで買った惣菜を持ち寄って友人などとみんなで一緒に食べようという動きもある。ですから、このコロナ禍がおさまってきたら、時間とお金をかけてシェアをしながら、みんなで食事を楽しむ方向に全体としては進むと私は考えています。それが「つながり」を再生したり維持したりすることに大きく貢献すると思いますね。

## コンフリクトの解消法――霊長類の四つの手段

**坂井**●「つながり」を壊してしまう要因の一つに、コンフリクト、衝突がありますね。私が調査でお世話になっているウガンダの北部では、約20年続いた紛争がようやく10年前に落ち着いて、コミュニティをもう一度つくろうとしています。私はその営みに関わりながら、殺しあいをしてしまったり、直接は手を下さなくても傷つけあったりした経験のある人たちが再び同じ場所で暮らすことになって、過去の衝突をどう乗り越えて「つながり」を再構築しようとしているのかを見せてもらっています。その関わりのなかで、私はひとつの試みとして、調査地を訪問する際にパーティを開き、コミュニティの人びとともに料理したものを食べ、音楽に乗って踊り楽しむ機会を設けています。類人猿の場合は、戦ったり傷つけあったりしたとき、どうやって仲直りして、秩序を回復しているのですか。

**山極**●サルや類人猿、そして人間には、コンフリクトの解消の仕方が四つあると思います。一つは、サルのような優劣社会では、喧嘩が起こったときは弱いほうが一方的に痛めつけられます。痛めつけたサルと痛めつけられたサルとがその事件のあとに出会うと、痛めつけられたほうは怖がります。そのときに、痛めつけたサルが、まるでそのことがなかったかのように振る舞う。これが彼らにとっての和解です。上下関係、優劣関係があるから、優位者がその戦いをなかったことにすれば、弱者は戦いが起こらないという安心感を抱けます。

　もう一つはチンパンジーの方法で、何か争いがあると、その当事者どうしでなんとかそれを解消する。抱きあったり、普段より大仰にグ

◀ **写真2**
**サルの喧嘩**
サルは仲間の優劣を把握していて、トラブルが発生したら瞬時に反応し、介入するかどうかを判断する。当事者がどちらも自分と親しくない、もしくは自分より強ければ介入しない。親しければ介入するがその際は強いほうに加勢する

ルーミングをしあったり、親和的な行動をします。そうすることによって、喧嘩をする前よりも「つながり」を強める。喧嘩が二者の絆をいっそう強めるという話になるわけです。これが二つ目です。

三つ目はゴリラ的な方法で、仲裁者が入る。ゴリラは勝ち負けを絶対につくりません。負けたという仕草がないので、喧嘩が長引きがちですし、長引けば双方が傷つく。ですから、そうならないうちに仲裁者が止めるわけです。仲裁者は１頭とは限りません。私は２頭のシルバーバック[7)]の喧嘩を４頭の子どもが抱きついて止めている場面を見たことがありますが、介入者がいることで、双方とも勝敗をつけずにメンツを保ったまま引き分けられる。これがゴリラ的な方法です。

最後が人間的なやり方で、離れてしまうという方法です。ブッシュマンやピグミーがそうですね。何かトラブルが起こると離れてしまう。

**山田**●狩猟民はたいていそうですね。

**山極**●これはそれだけの土地と移動性がないとできませんが、コンフリクトを起こした相手から離れて、ほとぼりが冷めるまで会わない。

解消法としてはこの四つです。どれが効果的でしょうね。

**坂井**●なかなか難しいことですが、なかったことにしたいですね。

**山極**●一般社会でもその方法をとる場合がありますね。ですが、それ

---

7) 成熟したオスのゴリラの証として背中に灰色の毛が鞍形に生えた状態。

は上下関係がないと効果的ではないんです。強者はいつでも攻撃を仕掛ける力を持っているわけですね。だから一方的に強者が忘れる態度を示せば、弱者の側は「襲われないんだ」という安心感を抱くことになる。でも、それは上下関係に基づいて行われるわけで、弱者が忘れても強者が憶えていたら、コンフリクトは再び起こるわけです。

**坂井**●チンパンジーのコンフリクトの解消法は、死にそうになるまで戦いあったうえでのグルーミングですか。

**山極**●チンパンジーの喧嘩は、かなりの大けがを負うことがあります。

**坂井**●接触して、関係をもう一度つくり直していく方法ですね。

**山極**●すごく大仰に行います。そんなにすることはないんじゃないかと思うぐらい大げさに接触する。「もう喧嘩していないんだ」ということを、周囲に見せつける必要があるんですね。チンパンジーのオスどうしは、連合によって力関係が次々と入れ替わります。和解して他のチンパンジーに対抗しないと自分の身が危ないので、「おれたちは仲がいいんだぞ」ということを見せるわけです。ゴリラの場合はオスどうしがあまり連合しないので、それをする必要がない。

チンパンジーでも仲裁が入ることがあって、オスどうしを引き分けることがあります。興味深いのは、喧嘩をしている双方よりも弱い立場にある者が仲裁できることです。オスどうしの喧嘩にメスが入る場合もある。ゴリラの場合も子どもが仲裁に入ったり、メスが入ったり、若いオスが入ったりして止めます。

ニホンザルの場合は仲裁はありえません。介入することもありますが、そのときは強者に加勢する。そのほうが簡単で、喧嘩が早く終わるからです。これを「ウィナー・サポート」と言います。ゴリラの場合は「ルーザー・サポート」で、負けそうな側を応援する。勝者をつくらない方法です。この方法の違いは、サルとゴリラとの社会性の違いに由来すると考えられます。サルのような序列社会では、勝ち負けを決めてしまったほうが後腐れがないんですね。勝ち負けをつけないと、再び衝突が起こる可能性があるわけです。

---

## 「共感の暴発」——内には互助、外へは苛烈に

**小西●**コンフリクトの話に関連して、人間社会では、たとえばテロの報復合戦など、殺伐とした関係になってしまうことがありますね。

**山極●**人間というのは、個人個人では喧嘩をしたくない生物だと思います。しかも、集団内にはあふれんばかりのやさしさを示すのに、集団間では過酷・残酷になる。これが人間性の持つ不思議な側面です。

キリスト教でもイスラームでも、それぞれの宗教の内部ではみんな助けあいます。仏教であればお布施をしたり、イスラームであれば喜捨をする。ところが、いったんその世界から出ると、首を切ってしまうこともあるし、残虐なことが平気で行われてしまう。共感が外に向かない。内部の共感を生み出すために、外部への残虐性が強調される。

私はこれを「共感の暴発」と呼んでいます。共感が「つながり」を育み社会を築いたことは間違いないのですが、それと同時に、集団間の争いが始まったのは、共感力が高まったためだと私は考えています。これは動物の集団と人間の集団との最大の違いですが、動物は自分の利益のためにしか戦いません。自分の命を危険にさらしてまで、集団というバーチャルなものに尽くそうとはしない。自分の子どもや自分のパートナーを守るためには戦うことがありますが、それは自分の利益だからするわけです。しかし、たとえば国家や民族みたいな、なんだかわからない集団のために尽くすことは、動物ではありえない。

では、なぜ人間は我が身を捨ててまで集団のために尽くそうとするのか。これが「共感の暴発」で、自分を集団とアイデンティファイしてしまい、集団が自分あるいは自分以上の存在になってしまったわけです。これは人類の社会を発展させると同時に不幸ももたらしました。たとえば共感によって、「先祖がこの土地を切り拓いてくれたおかげで、いま私たちは富を享受している」という感覚を持てるようになりました。でも同時に、「私たちの先祖はあの集団に虐殺された。

いつかその恨みを晴らさなくてはいけない」という考えも、世代を超えて抱くようになってしまった。いつも一緒にいる仲間にだけ共感を覚えればよかったのに、自分が生まれる前に死んだ先祖にまでも共感するようになってしまったわけです。これが人間を苦しめています。

**小西**●そのような「共感の暴発」はうまくコントロールしつつ、一方で弱まりつつある社会を維持するための「つながり」を再生・強化していく必要があるということですね。

## 異文化を学び・体験することの効用――AIを超え「つながり」を再生する力

**一度離れても戻れる場所があるのが人間社会**

**小西**●ここからは比較文化学のテーマとして各地の「つながり」を見る意味について考えてみたいと思います。「つながり」の再生のために脱デジタルを勧めても、学生さんにいますぐスマホの使用をやめてもらうことは現実的には難しいでしょう。しかし、たとえば海外のフィールドに学生さんを送り出せば、デジタルではなんともできない世界はまだまだありますよね。そこで自分の力で格闘する経験が得られる。「つながり」を考えるうえで、生まれ育った場所ではない地域の「つながり」のなかで暮らした経験がどのような意義を持つかについて、考えてみたいと思います。和崎さんはウズベキスタンに行ったことで、どんな変化がありましたか。

**和崎聖日**●私自身は東京の郊外で育って、ウズベキスタンでは村に滞在しました。そこでは毎日が劇場みたいに「誰それがどうした、こうした」と噂話が飛び交う状態で、そんな世界にふれた経験はなかったので新鮮でした。東京では２軒隣に暮らす家の名字すら知らないまま暮らしてきたので、まずはそのことがよかったと思いますね。

**小西**●イスラーム的な考え方のなかには日本とはまったく違う部分もあると思いますが、そうしたものにふれた印象はいかがでしたか。

**和崎**●私はイスラームのものの見方、考え方に興味を持っていますので、それを体験できたことは貴重な体験でした。ムハンマドのものとされる言葉に「知を求めて中国まで」というものがあります。一つの場所で朽ち果てるのではなく、マッカから遠く離れた中国までも移動して、とにかく知識を求め続けろという意味です。そのためにどこに行ったとしても、帰属意識はイスラームにある。そんな生き方があると知ったことは大きかったですね。

実際にそういう生き方をして、亡命してアフガニスタンに行き、バングラデシュ、インド、トルコにも行って、エジプトで死んだ人もいます。家族を捨てて一人で行く人もいますし、一緒に行く人もいますし、それが当たり前になっている感じすら受けます。そうして移動を繰り返して学び続けるという生き方を認めて、旅人をきちんと受け入れる慣行もある。そんな世界があることを知って、ありきたりですが、人類学の初期衝動的な「知らない世界を知る楽しさ」をウズベキスタンに行ってイスラーム世界にふれたときに感じましたね。

**小西**●未知なるものへの欲望、わからないことを知るのが楽しいという気持ちはありますね。現代は、わからないことがあるとなんでもスマホで検索できる時代です。検索するとなんらかの情報は得られますから、そこでわかった気になってしまう。でも、実際に行かないと感じられないものが無数にあることは、声を大にして伝えたいですね。

**山極**●角幡唯介さんという探検家と対談したときに、「やはり探検というのは、帰ってくる場所がないと成り立たないな」とあらためて思ったんですね。人間がなぜ自分が出て行った集団に戻れるようになったのかについてはわかりませんが、それができなければ、人類は180万年前にアフリカ大陸を出られず、現在のように広範囲に暮らすことにはなっていなかったと思いますし、ここまで数も増えなかったでしょう。未知の事象を見て帰ってきてそれを伝えるという行為が、人類全体の想像力を高め、結束力を増し、移動を促した時代があったのだと思います。そしてその社会は、一度離れた仲間を受け入れる。ゴリラやチンパンジーは、集団を一度離れたら二度と帰ってこられません。これが人類史の大きな分岐点になったと思います。

**小西**●フィールドワーカーも帰ってこないと意味がないですね。

**山極**●そうです。新しく見て聞いたものも、戻って伝えないと価値がないわけです。なんのために行ったんだという話になりますからね。

**小西**●比較文化の視点から言っても、そうして往復することは大きな意味を持っていますね。

## 仲間をつくることとつくらされることの意味

**山極**●２年ほど前、朝日新聞社で「ダイアローグ」と題して、20歳代の若者たち20人と対話をしたことがあります。テーマは「未来を考える」でしたが、そのときコミュニケーションが話題になりました。私が質問を考えていって答えてもらう形式で話したのですが、私が「仲間をつくりたいか」と聞くと、全員「つくりたい」と答えました。ところが「どうしたら仲間ができると思うか」と訊ねると、ほとんどの若者が「誠実に行動する」などと答える。みんな受け身なんです。

そのとき私が期待していたのは、「相手を感動させる」とか「目立つ」といった答えでした。現代の若者は消極的になっているなと思いましたね。とくに海外に行くとわかりますが、積極的につくりにいかないと、待っていても仲間なんてできませんよね。みなさんの経験ではどうですか。

**桑野**●私は仲間をつくろうと思ってつくったわけではなく、否応なしに仲間になった経験があります。ローマに３年間いたのですが、アパート・シェアで、そこにはイタリア人ももちろんいましたが、ウクライナ人やカーボベルデ人などさまざまな地域出身の人がいました。

暮らし始めた当初は、「この人たちと仲間になりたい」なんてまったく思わなかったんです。むしろ避けたいタイプでした。(笑)　みんなイタリア語が達者で、口喧嘩したらまずかなわない。でも、暮らしていくなかでは自己主張をせざるを得ないし、ぶつからざるを得ない。そのときに、私は何に基づいて主張しなければいけないのか考えさせられました。初めて「日本人としての自分」を自覚して、そのうえで自分をさらけ出すことで、だんだんその人たちと仲間になったんです。

**山極**●相手が見ている自分こそが自分ですからね。海外で暮らしたり、フィールドワークをすると、自分で「私はこうだ」と思い込んでいても、相手からはまったく違うかたちで見られていることに気がつくことはあります。それは貴重な体験です。

**桑野**●私が言われたのは、「あなたは洗礼は受けているかもしれないけれども、キリスト教のことを何も体験的にわかっていない」ということです。そもそもあまり仲間になりたくないタイプだったので、一緒に食事をするのも避けていたんですね。そうしたら、「共有しないし、本音で話さない」とさんざん言われました。それでだんだん気がついていった。たいへんな３年間でした。（笑）

**山極**●私の場合は相手がゴリラでしょう。だから、相手の機嫌を損ねないようにそっと近づいて、邪魔をしないようにじっとしているのが一番なんです。相手に関心を持たれたら仕事ができません。私が空気のような存在になっているときが、一番いい調査ができるときです。だから言うなれば、ゴリラにとってのペットの気持ちになっている。

　ゴリラに対してはそういう術を学んだのですが、調査を貫徹するためには便宜を図ってくれる人が必要で、人間の仲間もつくらなくてはいけない。こちらはかなり積極的に働きかけましたね。坂井さんも、アフリカでフィールドワークをするときには、仲間を得ないと自分の調査はできないでしょう。

**坂井**●調査を手伝ってくれる人たちの存在は欠かせないですね。

---

## 異文化に飛び込むことで生み出される「つながり」

**坂井**●私はケニアとウガンダで調査をしていますが、ケニアにいたときに、家族の範囲というものが、自分が生まれ育ってきた範囲とはまったく異なると感じました。農耕で暮らしている人たちで、夫婦とその子どもたち、そしてその子どものうち結婚した息子の家族である妻子という拡大家族で暮らす人たちのところに話を聞きに行くなかで、みんなで子どもを育てている場面をよく見かけたんですね。

その拡大家族の範囲を超えて、子どもが親との関係がうまくいかないときなどは、別の場所に住むおばあさんのところに行って暮らすこともあります。また、かつてケニアでは小学校の学期末試験で低い点数をとると留年させられる時代があったのですが、進級できなかった子は同じ学校に再度行くのを恥ずかしがり、「学校に行きたくない」と言います。すると今度は、おばあさんのところから叔母などの親族のところで育ててもらいながら違う学校で学びなおします。このように、子どもたちが家族以外のところへ移動して暮らす姿を見て、自分とは異なる家族や親族との「つながり」のありようを学びました。

一方、ウガンダの調査地では、男女のカップルのありようについて考えさせられました。その地で暮らす人びとは、カップルの安定性がないように感じます。半年に１回のペースで同じ集落を訪ねると、毎回複数のカップルが別れる一方で、新たな組み合わせが誕生しています。女性は生物学的に父親が違う子どもたちを育て、その女性と暮らす男性は、生物学的には自分の子ではない複数の子どもの面倒を見ています。また、そこは父系社会ですが、子どもたちは母方や父方の親族、拡大家族のなかを移動して暮らしています。そのようすを見て、人間の家族のかたちには決まったものはなく、変えられるのだということを学びました。

つながりと言えば、もう一つフィールドで見つけた「つながり」があります。私はいま家族としての「つながり」を新たにつくる機会を持てていません。しかしフィールドに行くたびに、つながっている感覚が増してきています。私が歳をとり、寂しいなと思って訪ねたら、大金を持っていなくとも受けいれてくれそうな人たちがいます。フィールドに何回も通い続けて、経験をシェアすることでできる「つながり」もあるといま感じています。海外のフィールドなど、馴染みのない世界に行くと、自分の生まれ育った文化との違いもわかりますが、そこで思いもしなかった「つながり」ができるチャンスもあります。

**小西●**思いもよらない「つながり」が出てくるという点は私も同感で、両方ありますよね。以前チベットでフィールドワークに入った地域で、そこの出身の先生が京都大学に客員教員としてきていたという偶然の出来事があって、そこからパタパタとつながって、外国人がほとんど入ったことのない地域の調査ができました。それは自分の主体的な働きかけではどうにもならなかったものが、フッとつながってしまったという経験です。もちろんフィールドに行くと努力して仲間をつくってなんとか調査を進めようとしますが、そのがんばりとまったく意図しない偶然と、両方が絡んでいる気がしますね。

---

## 文化の違いを超えて"we"の感覚を育むふれあい

**小西●**文化人類学の調査をしていると、仲間として受け入れられた感覚と、ふとしたときに、「やはり違う」という強い違和感を覚えるときがあります。私にとってはそれは死に対する見方でした。人の死に対してあまりに淡々と対処することに耐えきれなくなったり、思わず肩に塩を振りかけようとして、訝しがられた経験があります[8]。

でも、そういう違いもありますが、最初に行ってから十数年経ってみると、「ああ、やっぱりつながっているんだな」という意識がある。そういう型としての家族や社会、共同体とは違った部分で生まれる「つながり」もあると感じますね。

**山極●**小西さんが「つながっている」というときの感覚は、具体的にどんな感覚ですか。

**小西●**まだよくわかっていなくて、うまく言い表せないですね。「信頼」と言い換えても、どこか釈然としないところがあります。

---

8) 本シリーズ第1巻『比較でとらえる世界の諸相』49～50ページ参照。

**山極**●言葉というのは、つながる道具になりますか。

**小西**●異文化を調査するときに、こちらはネイティブ並みに話せるわけではありませんから、自分の意思を完全に疎通できるとは限りません。ただ、それでも何か「おおっ」という瞬間がある。それはいったい何かと考えると、やはり何かを共有できていて、互いが互いに関心を払っていることを意識しているという感覚ですね。

**山極**●関心を払っているということは重要だと思います。ようするに"we"の感覚ですね。"you & I"ではなく、"we"の感覚。「私たち」になれることというのが、つながっている感覚ではないかな。

**小西**●それだと思います。人類学の調査でも、「あなたと私」ではなく「私たち」になる感覚、"we"の感覚がどこかで出てきます[9]。

**桑野**●私がローマで暮らしていて強く感じたのは、同じ道徳観や倫理観を共有しているからといって仲間になれるわけではないということですね。まったく理解できないけれども、その人の存在そのもののことは受け入れられるようになる。不思議な感覚でした。

**山極**●たとえば違う文化の人たちのなかに入っていったときに、同じ文化を共有している日本人たちよりも、その異なる文化の人たちとのほうが"we"の感覚に近いことがよくあるでしょう。そこに日本人がやってきても、現地の人と一緒になって「いや、俺たちはさ……」と話してしまうような関係です。そういう感覚というのは、文化ではなく、違う何かによってできあがる気がします。時間が醸成するというだけでもないような気がする。

**桑野**●そうですね。私の経験でも、それほど長い時間付き合ったわけでもなく仲間になった感じです。何か別のものですね。

**小西**●そこを掘り下げないと、世界はいつまでたっても文化と宗教によって分断されたままになるのではないかという気もします。

---

9）「あなた」と「わたし」を超える"we"の感覚については、本シリーズ第1巻『比較でとらえる世界の諸相』51〜52ページ参照。

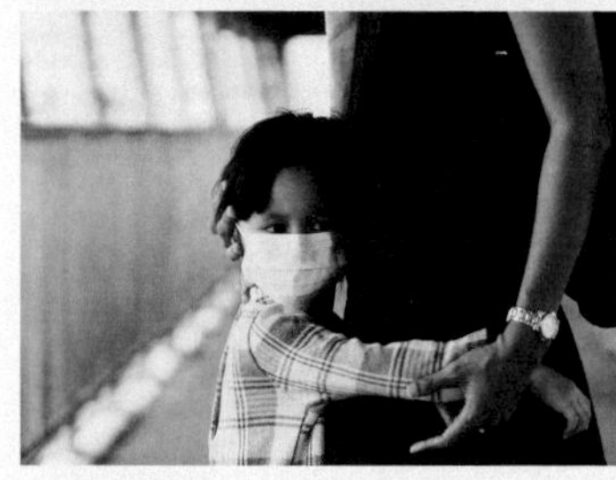

◀ **写真3〈左上〉手をつなぐ子**
幼い子どもどうしやきょうだいのあいだで手をつなぐ行為は、世界各地で見られる

◀ **写真4〈右上〉体を密着させているサル**
動物のなかでも、体をつけてきたり擦り寄ったりする行為が見られる

◀ **写真5〈左下〉母親に抱きつく子ども**
母親が子どもにつながることで得られる感覚が“we”という感覚の源泉

▼**写真6〈右下〉握手にかわるひじでのタッチ**
新型コロナウイルスの感染拡大により、握手の習慣があった世界各地で握手にかわるあいさつが推奨されるようになっている

**山極**●子どもがよくお母さんの手を握るでしょう。あれがつながっている感覚、“we”、「私たち」という感覚ではないかな。それと同じような感覚を味わえるものが、大人になるにしたがって、どんどん増えていくのだと思います。一つの食卓を囲んで同じものを食べる、一緒のテントで寝る、一緒にボートを漕ぐ。そういう身体感覚がどんどん延長していって、最後には言葉でもつながる。

ネコやイヌも体を寄せてきますね。あれは彼らにとったら手をつないでいる感覚と同じだと考えられます。ゴリラですと腹をつけてくる。やはり身体の「つながり」というのは大きいと感じますね。

**桑野**●たしかにローマにいるあいだは、日本にいるときとくらべて身体の接触は多かった気がしますね。手をつなぐとか、ハグするとか。

**山極**●アフリカに行くと、男どうしでも手をつなぎますね。私もよくつながれましたけど、あれは「俺たち一緒だよね」という感覚です。

**小西**●私もチベットの坊さんとよく手をつなぎました。

**山田**●女性でもありますか。

**坂井**●ウガンダやケニアでは、よくではないですが、女性どうしでも手をつなぎます。親密な間柄やそうありたい気持ちを表す行為として利用されていると理解しています。

**桑野**●イタリア人も女どうしでも手をつないでいました。私自身は違和感がありましたけど。男どうしでも、スペイン人はしませんが、イタリア人は挨拶のとき、ハグと頬への接吻は普通にしていました。

**山極**●日本でも、子どもどうしはよく手をつなぐでしょう。子どもと大人もね。最近は老夫婦が手をつないで歩いているのも見かけますね。

**小西**●日本人は握手をあまりしないですよね。中国などに行っても、知らない人と会ったら、まず挨拶は握手ですし、最初はとにかく右手を出して相手に近づいていく。ただし、その習慣も新型コロナウイルス感染症の影響でこれからは変わるかもしれません。

## 困難な時期をともに過ごすことで生まれる「つながり」

**藤本**●個人的な体験ですが、親を亡くした直後にカザフスタンの村に長期調査に入ったことがあります。その調査地は、わりに早く亡くなってしまう方も多い地域で、私がたまたまそういう状況のときに行ったので、住ませていただいた家の家族やその親戚の方たちから、「うちでは○○が亡くなって……」という話を聞く機会が何度もありました。そのとき、おそらく互いにイメージしているものは少しずれていると思いますが、話すことで共感できたように思ったんです。困難な時期を共有したという感覚が、カザフ人だからとか日本人だからとかいうことを超えて、「つながり」の感覚になった気がしました。

また、カザフ人どうしでも、結婚式などの慶事にお祝いに行かないのはかまわないけれども、死者が出たときにお悔やみに行かないのはよくないと言われます[10]。困難なときや悲しいときに、ともにいるという感覚が、「つながり」の感覚になるのかなという気がします。

**小西**●そういうつらいときや困難なときは、言葉をかけるよりも一緒

---

10) カザフスタンにおける弔いと死生観については本シリーズ第5巻『弔いにみる世界の死生観』66～74ページ参照。

にいる、寄り添うことのほうが重要になることがよくありますよね。

**山極**●深い悲しみに暮れているとき、苦しいときには、誰かが一緒にいてくれるだけで「私は一人じゃない」という気持ちになる瞬間があって、それがプラスに感じられるのだと思います。

だからこそ、ただ「一緒にいる」ことの価値や楽しさが、子どもとお年寄りにはよくわかるんですよ。子どもは一緒にいてくれたらそれでいいんです。何もしなくてもいい。また、おそらく老境になって死が近づいてくると、何もせずとも一緒にいるだけでいいという感覚になるんだと思います。その感覚は動物に近いと思いますね。私はまだそこまで老境になっていないからわかりませんが。(笑)

ところが、大人は行為を経済的、効率的、目的的に捉えてしまっているところがあって、「一緒にいるからには何か意味がある」とか「なぜ一緒にいるのか」といったことをすぐに考えてしまう。もしくは「一緒にいることで何かを生み出さなければならない」と思うようになる。そこに落ち着かない感じを抱くのだと思います。これは大人の発想です。でも、一緒にいるだけでいいことがあるんです。

## 理解ではなく信頼に向け直観で「つながり」を希求する

---

**小西**●このシリーズ「比較文化学への誘い」では、学生さんをはじめ若い人たちに身につけてほしい力として「比較文化力」を提唱してきました。さまざまな世界の文化を五感で捉えて、違いや共通点を把握して、その多様性を互いに尊重しあい、認めあって共生する道を探る力です。人間の信頼、「つながり」が、互いの存在がわからないからこそ求め続けて、希求し続けることで成り立つものだとすると、「比較文化力」は「つながり」の再生・強化にも役立つ気がします。

**山極**●座談会Ⅰでも言いましたが、やはり「情報として何かを理解すること」というのは、けっして信頼には結びつかない方向に進む行為だと思うんですね。

**小西**●検索と一緒で、情報を単に多く集めるだけということですね。

**山極**●そうです。たとえば誰かと信頼関係を築きたいと考えた際に、相手に関する情報をたくさん集めて、それだけで相手のことをわかったと思いがちです。しかし、それは信頼や「つながり」には向かいません。信頼というのは、むしろそういう情報は抜きにした直観みたいなものから生まれる。あることが一瞬にしてわかること、「あいつのすることはまったく理解できなかったけど、突然わかった」ということがあるでしょう。この直観みたいなものは情報化されません。その「情報化はされないけれども感覚的にスッと腑に落ちる」というものが私の言う信頼にフィットする話で、それは理解することとは違う。情報ではない部分で感覚的に入ってくる感じではないかと思います。

**小西**●先ほどの桑野先生の話もそうですね。相手の情報がわかったから“we”になった、仲間になったというわけではないですね。

**山極**●動物学的表現で言えば、「手をつなぐ気分になった」と言いますかね。(笑) 先ほど身体の「つながり」という話をしましたが、「情報を理解すること」は「脳でつながること」です。それは身体的につながることにはならない。身体的につながることがなければ、信頼感も生まれないと思うんです。

**小西**●その点で、現代において希薄になってきた「つながり」を日本でも取り戻すとしたら、五感で何かをすることが大事になってくる。接触もそうですし、先ほど話が出た共食にも可能性がある。ただ情報を頭に入れることではわかり合えないということですね。

**山極**●本来は共有できない感覚を使った時間と空間の共有を求めることが、信頼や「つながり」に結びつくのではないかということです。

**山田**●シベリアでシャーマンを対象にして調査をしたとき、ずっと外国人との接触を拒んでいた人が、私にだけ聞き取り調査をさせてくれたことがありました。彼女にとっては初めてのことでした。彼女があとで言うには、「魂を飛ばしてあなたが住んでいる場所を見に行ったら、あなたの暮らしぶりがわかって、信頼できると思った」ということでした。シャーマンになる人はそういう感覚が優れていて、彼女は私が飛行機から降り立った姿を見て、彼女なりの直観で信頼できると感じて受け入れてくれたようです。そうしたわかりあい、不思議な出会いがあります。

**山極**●一目惚れみたいなことですね。(笑)

**山田**●シャーマン的な人に一目惚れされやすいみたいです。(笑) 相手が心を開いてくれる。そういう体験もフィールドではありますね。

**山極**●まったく文化体験が違っていて、初めて会った人でも、話しながら少し一緒に歩くうちに、「気が合いそうだな」という感覚になることはありますね。これはすごく大事な気がするんですよね。

**桑野**●イタリアでロマ[11]の人と一目あった瞬間に、なぜか「この人なら話せる」という気になって、自分のことをすべて話してとても癒やされた経験があります。(笑) 不思議な体験でした。

**小西**●そういう直観とか一目惚れ、縁があるといった概念が、積み上げ的な理解を超えたところで作用することがあるのは興味深いですね。それはデジタルでは再現できないことです。

しかも、やはり積極性がなかったら、そういう経験には至らない。山田先生の話にしても、日本にいるまま待っていてどこかのシャーマンが見つけてくれるかというと、それはないわけですよね。直観や偶然の前には、主体的に一歩踏み出す段階がある。その結果、まったく予想のつかないところで、いきなり気の合う人と出くわす。そういう経験は、主体的・積極的に動いた人だけが得られるのだと思います。

**山極**●そういう偶然の出会いや出来事によって人生の計画が狂うこともありますね。ガラッと変わる。

**小西**●癒やされることも、ひどい目に遭うこともありますね。(笑)

---

11) ヨーロッパを中心に世界各地で暮らす少数民族。長く移動生活を続けていて、定住者からの差別と迫害を受けた歴史を持つ。現在は定住が進んでいる。かつては「ジプシー」と呼ばれたが、これは他称のため現在は使用されない。

## 感動と希望、創造に結びつく直観力――AIを超える力

**小西**●いま大学で学ぶ学生さんや若い方たちにとっては、残念ながら暗い話題が多い状況です。経済成長は長らく止まったままで景気は悪く、先の見通しは立っていません。そこに新型コロナウイルス感染症の世界的な蔓延まで起こってしまった。外出「自粛」要請や移動制限をされ、友人に会うことも、「つながり」を築くことも簡単ではなくなった。しかもそうした状況下で、いくら演算能力が速いだけとはいっても、やはりAIによって労働の機会が奪われるのではないかという危惧もあるようです。

**山極**●人間はAIにはない能力をたくさん持っています。そもそもAIは情報化されないと動けません[12]。たくさんのインプットがあって初めて動いて、しかもそのなかでの情報検索能力が高いだけです。

やはり人間に大切なのは直観力だと私は思っています。常に直観力だけに従っていたらアホなことばかりしますが、他のいろいろな力と組み合わせていけばいい。直観力というのは、感動も希望も新しい創造の瞬間も与えてくれます。

そもそも人間の好奇心というのは、データに基づくものではないですよね。衝動に従って、「おもしろそうやな」と感じて動き、その行き着く先に自分を賭ける。人間というのは、もともとそうした力を持っているからこそ、新しい自分を発見できるし、新しい友だちも発見できるし、たくさんの人たちと付き合いながら、それまで考えてもいなかったような行動に出られるわけです。その可能性を失ってはいけない。これからAIと共存する社会というのは、人間がその能力を大いに発揮していく時代だと思いますね。

**小西**● AIにできることは任せて、人間は人間らしい力を発揮するということですね。浮いた時間やお金は他に回す。

**山極**●先ほども言ったように、「つながり」にもっとお金をかけても

---

12) AIの能力とその限界については本書45ページからの座談Ⅰを参照。

いいですね。スポーツ、音楽、踊り、芸術活動、食事、さまざまなことが「つながり」をキーワードとして出てくる。こうした営みを生産性で考えるのではなく楽しみとして、幸福として捉えることが必要です。これまでの資本主義社会のなかでは、「何かをつくらなくてはならない」という強迫観念がありました。しかし、もしもそれをAIが代行してくれるなら、われわれは「つながり」そのものこそが価値あるものとして、「つながり」をつくることに衝動や創造力を向けたらいいと思いますね。

**小西**●生産的なものをAIが担保してくれるのであれば、自分の直観を信じて突っ走ってみよう、おもろいことをしようということですね。

**山極**●そうです。

**山田**●人間ならではの、AIにはない好奇心を積極的に働かせて、自分の直観を信じてフィールドに飛び出してみる。そこで他者・異文化と出会い、違いや共通点を観察して把握して、互いを尊重し、認めあって共生できるように働きかける。そうした行動がとれる「比較文化力」を、たくさんの方に身につけていただきたいですね。それが日本と世界の「つながり」の再生と強化に結びつき、ひいては安心・安全で豊かな社会を実現することになるのだと考えます。

## 参考・参照文献

一般社団法人日本惣菜協会（2019）『2019年版惣菜白書――ダイジェスト版』〈http://www.nsouzai-kyoukai.or.jp/wp-content/uploads/hpb-media/hakusho2019_digest.pdf〉

山極寿一（2018）『ゴリラからの警告――「人間社会、ここがおかしい」』東京：毎日新聞出版。

# 人はどのような「つながり」のもとで生きてきたのか

## 希求される「つながり」の未来を読む

山田 孝子

## *1* 比較文化学から「つながり」の未来を考える

私たちはこれまで、ヒト・モノ・情報のグローバルな展開に何ら疑問を抱かずに過ごしてきた。また、自分たちを取り巻くさまざまな「つながり」❶についても、深く考えることなく過ごしてきたといっていい。しかし、2019年12月31日にWHO（世界保健機構）中国事務所から報告された武漢市における原因不明の肺炎患者の発生に端を発し、その後中国政府の専門家チームによって公表された新型コロナウイルス（SARS-CoV-2）を原因とする感染症（COVID-19）のその後の蔓延は、グローバル化が進んだ現代に生きる私たちの抱えるさまざまな問題を明るみに出し、人の移動が進みすぎた現代社会の危うさを私たちに突き付けることになった。

新型コロナウイルスの感染は中国内にとどまらず、世界中の国々を巻き込んで広がった。最初に集団感染が公表された武漢市における爆発的拡大に対しては、中国の国家主席である習近平氏の主導のもと、1月23日からの都市封鎖（ロックダウン）の発動、臨時の専門病院建設が行われたが、感染者の急増は医療崩壊寸前の状態を引き起こし、2月6日には感染者が2万人を超えた❷。武漢市における感染拡大とその対処の様子は時々刻々と世界中に報道されて耳目を集めたが、新型コロナウイルスの感染はその後、日本、アジア、ヨーロッパ、北米など世界各地へと瞬く間に広がってしまった。

WHOは1月30日に「国際的に懸念される公衆衛生上の緊急事態」に該当すると宣言し、遅きに失するかたちであったが、3月11日には2009年の新型インフルエンザ以来となる「パンデミック」の認定に至った。新型コロナウイルス感染症は、1918〜1920年のスペインかぜに匹敵する感染の広がりをみせることになったが、各国が感染防御対策として都市封鎖、外出禁止などこれまでのグローバル社会に逆行する政策を打ち出していったという意味で、私たちに画期的な歴史的一コマをもたらした。

---

❶本稿では「つながり」を、「家族、親族、コミュニティなどのさまざまな集団内における個と個との相互の関わりあいをとおして形成される関係性」の意味で用いる。

❷Newsweek、2020年2月6日「中国、新型コロナウイルス死者500人突破、感染者2万8018人」〈https://www.newsweekjapan.jp/stories/world/2020/02/50028018.php〉より。

たとえば、ヨーロッパでいち早く感染が広がったイタリアでは、WHOによる「パンデミック」認定前の1月31日に非常事態宣言❸が発表されたが、3月11日の「パンデミック」認定を受けて、スペインでは3月14日に警戒事態宣言、フランスでは3月17日に全土で外出禁止令が出され❹、アメリカのドナルド・トランプ大統領は3月13日に非常事態宣言をしている❺。アメリカやフランスは感染対策をいわば「ウイルスに対する戦争」であると国民に呼びかけ、その他世界各国でも都市封鎖、外出や移動の制限あるいは禁止が課せられた。日本においても、安倍晋三首相は、2月27日に全国の小中学校に対して3月2日から2週間の臨時休校の要請を行っている。その要請にもとづく休校が続くなかで、4月7日には7都府県について5月6日までの「緊急事態宣言」が出され、4月16日にはその対象範囲が全都道府県に拡大され、さらに5月4日にはその期間の5月31日までの延長が発表された❻。

このような「非常事態宣言」、「警戒事態宣言」、「外出禁止令」あるいは「緊急事態宣言」は、いずれも外出・移動の禁止や制限の要請を伴っており、世界各地で、“Stay home（家にいなさい）”、“Keep social distancing（人と人との社会的距離を保ちなさい）❼”が共通のスローガン（合言葉）として徹底されていった。この合言葉には、人々を友達、学校、職場、コミュニティ❽などから切り離し、あたかも家族を超えるさまざまな人と人との「つながり」を断絶する呼びかけと錯覚させるほどの強いメッセージ性があった。こうした世界各地でとられた「密な接触」

---

❸日本貿易振興機構（ジェトロ）、ビジネス短信、2020年2月3日「新型コロナウイルスの感染拡大を受け、イタリア政府も非常事態宣言を発表」〈https://www.jetro.go.jp/biznews/2020/02/22929c3f2cf00094.html〉より。

❹朝日新聞デジタル、2020年3月18日「欧州『外出制限』静まる街　新型コロナ」より。

❺朝日新聞デジタル、2020年3月15日「米が非常事態宣言　検査を拡充　新型コロナ」より。

❻2020年5月15日には、39県については緊急事態宣言が解除された（朝日新聞デジタル、2020年5月14日「39県の緊急事態宣言解除を承認　愛媛『条件付き解除』」）。

❼“social distancing” に対し、当初は「ソーシャル・ディスタンシング」、「社会的距離」あるいは「社会的距離の確保」（ニューズウィーク日本版デジタル、2020.05.01「『集団免疫』作戦のスウェーデンに異変、死亡率がアメリカや中国の2倍超に」〈翻訳：森美歩〉）という訳があるが、日本語での意味との齟齬があり、「身体的距離」、「対人距離の確保」という訳がより使われるようになった。

❽これまでコミュニティについては多様な定義が出されてきたが、ここではコミュニティを、ジョージ・ヒラリーが多様な理論の共通性として指摘した「一つの地理的領域内での社会的相互作用があり、一つ以上の共通の絆をもつ諸個人で構成されるもの」[Hillery 1995] という意味で用いる。

を避ける感染対策は、人と人との「つながり」の意味、重要性を改めて考えさせてくれるものだった。

では、COVID-19のパンデミックは、私たち社会の「つながり」を根本的に変えてしまう契機となるのであろうか。人類社会が築き上げてきた「つながり」は、もちろん生活の変化とともに変わってきた動態そのものである。私たちが築き上げてきた「つながり」は、ポスト・コロナ[9]の社会においてどのようなかたちをとり得るのであろうか。本稿では、伝統社会が築き上げてきた「つながり」の動態を比較文化学的に振り返りながら、「つながり」が求められてきたのはなぜか、そしてポスト・コロナの未来社会においてどのような「つながり」の在り方が求められていくのかを考えてみることにしたい。

## 2 人類社会における人と人との「つながり」とは——家族と共同体

まず、集団生活を基本としてきた人類が、その社会維持のためどのような人と人との「つながり」の関係を作り上げてきたかを振り返ってみよう。人と他の霊長類との大きな違いは、人が「家族」という持続的、永続的な社会単位となる「つながり」の関係を誕生させた点にあり、家族の起源は人類進化における「ヒト化(ホミニゼーション)」、「人間社会の誕生」を考えるうえで一つのカギとなるテーマとなってきた。霊長類学の立場から今西錦司は、家族の成立にはインセスト・タブー、外婚制、分業、上位集団としての地域社会の存在が条件となるという説を出している[今西 1961:121]。

家族という「つながり」の誕生には、家族を超えた地域社会(コミュニティ)という「つながり」の形成が不可欠であることを指摘した今西説は、本稿で人間社会における「つながり」を考えるうえで示唆的である。のちに、類人猿研究をもとに山極寿一は、人類家族の最大の特徴は「家族が単独では成立し得ず、複数の家族が集まってはじめて機能を発揮する」点にあり[山極 2015(1997):13]、しかも人間社会は①家族、家などの個人的原理が優先するえこひいきの「つながり」と、②村コミュニティなどの平等性・互酬性を基本原理とする「つながり」という

[9] 本稿において「ポスト・コロナ」とは、新型コロナウイルスの封じ込め後、もしくは感染拡大収束後という意味ではなく、感染拡大とそれへの対応を迫られたいわゆる「コロナ禍」後のことをさす。

原理の相反する「つながり」によって支えられてきた［山極 2014］と、「つながり」の様態を指摘する。人間社会は、「家族」と「家族を超える上位集団」という二つの「つながり」を不可欠な両輪として存続し、発展を遂げてきたと考えられる。

私たちが「家族」を頭に浮かべた時、そこには誰と誰が含まれるであろうか。今日、日本や欧米社会では複数の配偶者をもつ婚姻は法的に認められていないが、多くの伝統社会では複数の配偶者をもつことが社会的に許容されてきた。配偶者の数によっても家族像は大きく異なり、「家族」の在り方は結婚という社会制度と深く結びついてきた。

人間社会における家族や家族を超える集団をめぐる社会制度は民族ごとに多様であり、人類学の主要なテーマの一つとなって、多くのことが明らかにされてきた。たとえばクロード・レヴィ=ストロースは、配偶者の優先的選択、婚姻後の居住といった結婚をめぐる制度が確立され、人類社会は配偶者の交換をとおして家族・親族間の交流を進め、親族集団間の連携を基盤とするコミュニティを形成してきたと指摘する［レヴィ=ストロース 1977］。一方、ジョージ・マードックは、社会構造の通文化比較研究をもとに、家族という「つながり」には、核家族⑩、直系家族、拡大家族、単婚家族、複婚家族など多様な形態があるが、父母と未婚の子からなる核家族が普遍的な人間の社会集団であり、その役割は「性（セックス）、経済、生殖、教育」にあると結論する［マードック 1978：1-3］。ただし、核家族の普遍性については現在では疑問が提起されている⑪。

実際に、人間社会における集団、つまり親族集団形成の結節点となる結婚についてみても、一つの社会制度として規定され、たとえば配偶者の選択範囲には外婚制、内婚制といった違いがあり、社会的に許容される配偶者の数によって単婚（一夫一妻婚）と複婚、さらに複婚には一妻多夫婚と一夫多妻婚の区別がある。婚姻後の居住様式には、父方（夫方）居住、母方（妻方）居住、母方オジ方居住、独立（新）居住という違いをみることができる。

---

⑩ マードックが、両親と未婚の子供たちからなる家族を核家族（nuclear family）と名付けて以来、この用語が一般的となっている。基本家族（elementary family）とも呼ばれる。

⑪ その後の研究によって、①社会学的「父」の欠如するインドのナーヤル母系社会や、②死者の名のもとに結婚が社会的に認められる制度で、生まれてきた子供の父は「死者」とされる幽霊婚や女性婚が認められ、社会学的「父」と生物学的「父」が異なりうるスーダン南部のヌアー社会などの存在が知られるようになった。

また、家族を超える「つながり」として血のつながる親族集団があるが、親族集団の形成をみると、どの社会においても、結婚によって出生する子供の親族集団への帰属を社会的に規定する「出自(descent)」型式がある。父系出自⓬や母系出自という単系出自、双系あるいは両系といった非単系出自、伝統的日本社会にみる「イエ」型式など多様なシステムがあるが、単系出自を原則とする社会では、父系、母系のリネージやクランといった単系出自集団が形成され、それらは社会を構造化する原理となってきた。出自型式は、血のつながりのある人々をカテゴリーに分類(範疇化)するものであり、日々の生活のなかでの行動規範を規定する原理となることが知られる。

たとえば、1970年代後半に訪れた東カロリン諸島のプンラップ島では、母系出自にもとづく母系クランが社会構成原理となっていた。彼らの社会生活は、①家族、母系クランという血縁をとおした農作業における連携と、②最古参の母系クランの長の伝統的首長としてのリーダーシップのもと、集会所での話し合い(写真1)や島民男性全員による共同漁(写真2)といったコミュニティの共同性との両輪により維持されていた[山田 2012: 42-54]。

プンラップ島での調査では、居候させてもらった家族との生活で、父親の影が薄いのに対し、母親が堂々と構え、日本の父親的な家長としての権威を息子が体現していたことに戸惑ったのを覚えている。母系社会では、子をもつ男性の有形・無形の「財」は、同じクランに属するその男性の姉妹の息子に継承され、クランを異にする息子には継承されない。家族内での家長らしい存在感のなさは、こうした母系社会における財の継承・相続システムと無関係ではない。男性にとっては、家族内の「つながり」よりも、同じクランの男性たちとの「つながり」の方が大きな社会的意味をもっていたのである。

一方、現コンゴ民主共和国東部のニンドゥ⓭の社会では、父系リネージが社会構成原理となっていた。彼らの社会では一夫多妻婚が認められ、村の中には、両親と未婚の子供たちという核家族が一つの生計単位(世帯)となった単婚家族と、一人の男性(夫)を核にして妻と未婚の子供たちが一つの生計単位となり、僚妻

---

⓬ 親族集団への帰属を父との関係をとおして決められる出自型式であり、子供は父親と同じ出自集団(リネージ)に帰属する。このような父系の出自型式をとる社会では、母親は異なる出自集団に属し、個人の出自集団への帰属は生涯変わらない。本書69ページ藤本透子氏による論考の註6も参照。

⓭ 本シリーズ第1巻『比較でとらえる世界の諸相』34～35ページ参照。

**▶写真1**
**集会所**
プンラップ島の集会所。島の生活に関わることは、ここに島民全員が集まって話し合う。筆者の島入りもここで紹介され、承認された

**▶写真2**
**共同漁の獲物**
伝統的首長の采配のもと分配される島民男性全員参加による共同漁の収穫。本シリーズ第2巻『食からみる世界』47ページを参照

(一人の夫を共有する妻)たちそれぞれは別個に焼畑耕作地を管理し、生計を営むかたちをとる複婚家族とが混在していた。父系出自を原理とするニンドゥの社会では、母系社会とは対照的に母親だけが帰属クランを異にする存在となり、家長としての権威が父親にあった。父方にしろ、母方にしろ、リネージを同じくする家族同士が近接する一つの居住集団を形成し(写真3)、家族を超える「つながり」は食物の交換や森林伐採、開墾、焼畑の火入れ、あるいは家づくりの際の共同作業など(写真4)で発揮されていた[山田 1984: 629－634]。

二つの社会の例でみてきたように、家族や家族を超える「つながり」の関係は、民族ごとに多様な形態が生み出されてきているが、近年ではさらに、日本社

◀写真3
ニンドゥの村の居住集団における家屋の配置
数戸の家屋が中央の広場を取り囲むように配置され、その周囲に植栽されたバナナ畑が一つの居住集団のまとまりを生み出し、中央の広場では作物の加工処理など、共同での作業が行われる

◀写真4
ニンドゥの家づくり
血縁、姻戚、兄弟のちぎりなどの「つながり」をとおした労働交換にもとづく共同作業によって進む。円筒形の壁組の上に設置した屋根の垂木に、茅を固定するための木舞（こまい）をらせん状に取り付ける男性たち

会においても、結婚を経ない同居（同棲）、同性同士の結婚生活、友人関係による世帯形成、シングル世帯をみるように、人と人との「つながり」は、世帯形成という点からもますます多様となっている。いわゆる「自然」家族（natural family）が世帯の基本的構成単位といわれてきたこれまでの家族観念、世帯観念の再考が求められる現状にある。さらに、伝統的な自然経済から工業化、産業化の高度発展のもとグローバル化が急速に進んだ今日、大都市社会も含めコミュニティそのものの在り方も大きく変動してきた。

では、グローバル化、AI化が進む一方、新型コロナウイルス感染症のパンデミックという新たな脅威にも直面する現代にあって、私たちの家族あるいは世帯、コミュニティは、今後いかなる形態をとっていくのであろうか。以下では、伝統社会における家族、親族、コミュニティの在り方から、人と人との「つながり」の未来像を考えるにあたって、何らかの示唆を得ることはできないか探ってみることにしたい。

まず、インド、旧ジャム・カシミール州北部のラダック地方⑭に暮らす、日本の伝統社会によく似た家族制度をもつラダッキ社会について、彼らの社会が家族や家族を超えたさまざまな「つながり」の有機的連携をとおした経済的・社会的・宗教的な支えによって初めて維持可能となってきたことを示し、現代化するなかで多様な「つながり」がいかに変化してきたのかを明らかにする。第２に、日本社会における家族・結婚形態、親族集団、コミュニティという人々を結ぶ「つながり」の急速な変容を明らかにする。最後に、高度にグローバル化が展開したなかで直面したCOVID-19のパンデミックという歴史的大事件への世界各地の反応を振り返りながら、家族、親族、コミュニティ（地域社会）というさまざまな「つながり」が有してきた社会的な意義を再考し、日本社会のより良い未来に向けてどのような「つながり」が求められるかを考えてみたい。

## 3 多様な「つながり」が支えるラダッキの生活——血縁・地縁・信仰縁

ラダッキの社会制度は日本の「イエ」制度と類似する点が多い。ラダッキ社会における最も基本的な「つながり」は、同じ屋根、同じかまどで暮らす「ナンツァン（nang tsang）」⑮ということになる。家族を系統、血統という点から考える際には、「ルス・パ（rus pa）」という別のことばが使われ、同じ家族、つまり同族であることが「ルス・パ　チクチック（ルス・パ　一つ）」と表現される［Jäschke 1998［1881］: 532］。家族を超える血縁・婚姻でのつながりには、「近い親族」、「遠い親族」という区別がある。同じ屋根の下で暮らす家族は、「カンパ（khang pa）」⑯

⑭ ラダック地方は10～19世紀中ごろまでの間ラダック王国として栄えた地域である。この地に暮らすチベット系の民族であるラダッキは、オオムギ、コムギを主作物とする農耕、ヤク、ウシ、ゾーとゾモ（ヤクとウシの種間雑種）、ヤギ、ヒツジなどを飼育する牧畜、そして中・長距離の地域間交易により生計を維持してきたことで知られる。ラダッキ文化については本シリーズ２巻『食からみる世界』、３巻『祭りから読み解く世界』、４巻『文化が織りなす世界の装い』でも取り上げている。

⑮ 文字通りの意味は「内の・すべて」で、家族を表す。

⑯ 建物としての家を表すとともに、日本の伝統的な「イエ」の観念と同じように村落コミュニティにおける社会単位となる。社会単位としてのカンパは「屋号」で区別される。

という村における一つの社会単位として、地縁的「つながり」となる村コミュニティにおけるさまざまな共同作業に関わる。さらに、パス・ラーと呼ばれる共通の祀る神をもつ「パスプン（pha spun）」[17]という信仰縁とも呼べる「つながり」がある［山田 2009: 55-68］。

これらの「つながり」の連携は、多角的生計基盤と深く結びつきながらラダッキの村の生活を維持してきた。それぞれレベルの異なる「つながり」は村の生活の中でどのように機能しているのか、いかにラダッキの村の生活を支えてきたのかを考えてみる。

### 一夫一妻、一夫多妻、一妻多夫――構成が多様な家族の「つながり」

最も基本的な「つながり」といえる「家族」に誰と誰が含まれるかは、民族や集団によって異なる。今日の日本では、最も基本的な「つながり」といえば、たいてい、父、母、子供たち、祖父母を思い浮かべるだろう。では、ラダッキの場合はどうだろうか。

どの社会でも、家族の在り方は婚姻制度と密接な関係にある。ラダッキの家族形態も伝統的婚姻規定を背景に多様だが、まず、ラダッキの家族は生計を共にする祖父母世代、親世代、子供世代といった数世代で構成される直系家族を基本とする。同じ屋根、同じかまどで暮らす家族（ナンツァン）は、カンパという村の社会単位の構成員となるが、後述するように、カンパの構成員は必ずしも常に一緒に暮らす（同居する）ことを前提とはしない。

ラダックにおいて、伝統的には、一戸のカンパで一世代一婚姻という婚姻規定があったことが知られる［山田 2009: 68-73］。しかも、仏教徒ラダッキの間では両親からの財産の相続には長子相続規範があったため、長男のみが自動的に「家」を用意でき、結婚できたといわれる。このため、次男、三男は自らの経済力がない限り、独立して「家」を構えることは難しく、他家へ「マクパ（mag pa＝入り婿）」として婿入りする、僧侶になる、あるいは簡単な儀式を行ったうえで長男と妻を共有する一妻多夫婚の慣習に従うといった選択となったという。

一方、嫁入りにはペラックと呼ばれるトルコ石を縫いつけた頭飾りが必須と

---

[17] 「同じ父から生まれた兄弟姉妹」という意味。本シリーズ第5巻『弔いにみる世界の死生観』55ページも参照。

され、裕福な家でない限り、嫁に行けるのは母からペラックに縫いつけるトルコ石を相続できる娘一人に限られ、他の娘たちは尼僧になるか、未婚のまま家に残ったという⑱。実際、村人の家族構成はこのような慣行を裏付けるものとなっていた。ただし、娘しかいない家の場合には、長女に婿を取ってカンパを継がせ、妹たちも婿を共有する一夫多妻婚の形態がとられることもあった。

また、裕福な家では、男性は二人の妻を迎えることもみられた。第一の妻に対してはすべての村人を招待しての盛大な結婚式が行われるのに対し、第二の妻に対しては簡単な式が行われるだけで、パスプン・メンバーだけが祝宴に参加したという。このような一夫多妻婚では、二人の妻は姉妹のこともあるが、異なるカンパ出身のこともある。その場合は、たいてい異なる村にたくさんの耕地を所有するため、妻をそれぞれの村に住まわせて、畑の世話をさせたという。

このようにラダッキの伝統的婚姻規定は、一夫一妻婚、一妻多夫婚、一夫多妻婚のいずれの形も許容していた。さらに、子供に恵まれない夫婦に対しては、カンパの存続のため社会的に容認された「ブドット（bdud）」と呼ばれる慣行がある。息子と娘を、夫と妻それぞれの親族から養子として迎えて縁組させ、カンパを継がせた慣習である。しかも、「頭にペラックをかぶりながら、自分の心には欺きがある。嫁と言いながら、実は人の召使にすぎない」という嫁の地位を表した諺があるように、結婚は働き手を得るためのものであり、男性は18歳で、女性は初潮を迎えたばかりの12歳ごろに、両親が婚姻を決めていたという。

ラダッキの家族には、父二人であったり、母二人であったりすることも珍しくなく、二人の父（あるいは母）は、「大きいお父さん（お母さん）」、「小さいお父さん（お母さん）」という意味の親族名称で区別される。ときには、父の姉妹も家族の一員となる。一世代一婚姻を原則としてきた伝統的婚姻形態は、ラダック王国時代からのカンパの分割を避けて租税の徴収に対処するために成立した制度であるといわれるが、新郎新婦はカンパの次の継承者となることを意味し、後述するように、結婚は村中の人々の承認を得る通過儀礼となる。

ラダッキにとってカンパは、農耕、牧畜、交易という伝統的生計を維持するための経済単位であり、家族の「つながり」はカンパの存続を第一義として可能な婚姻形態が選択され、築かれてきたものということができる。たとえば夏には、

⑱ペラックについては本シリーズ第4巻『文化が織りなす世界の装い』47、77ページを参照。

◀写真5
**ラダックの村のまとまり**

レー〜スリナガル間の主街道沿いに立地するカラツェ村の光景。家々(「カンパ」)は街道から少し上った高台に道に沿って平行に建ち並び、街道の下には灌漑水路が張り巡らされた畑が広がる

◀写真6
**台所での調理**

ラダックの伝統料理「パパ」の調理の様子。熱湯にオオムギの粉を入れ、木製のコネしゃもじで捏ねればできあがる。コネしゃもじは日本のしゃもじのように主婦のシンボルとなる

◀写真7
**コミュニティの「つながり」にもとづく祝宴準備の共同調理**

村人総出の花婿側での結婚式祝宴では、食材調達、料理、チャン(オオムギ酒)の手配、給仕など、村人はそれぞれの役割を分担して受け持つ

村内での農作業や果樹の管理、山麓での家畜の放牧管理という農耕活動と牧畜活動の住み分けが必須であると同時に、近・遠距離の交易活動が現金獲得のために必要とされ、それぞれの生計活動に従事する場が異ならざるを得ない。女性は畑の管理、搾乳と乳製品の製造、男性が家畜の放牧と近・遠距離の交易活動というように、生計維持のための活動は性的分業によって担われることになっている。夫たち、妻たち、未婚の姉妹たちは、これら活動の場の異なる生計活動を有機的に分担し合ってきた。つまり、多様な婚姻形態の許容性はカンパにとって生計維持のための経済戦略という意味をもち、ラダッキの家族構成は結婚形態に応じて多様な関係性から成り立ってきたのである。

### カンパという「つながり」の継承――カンチェン(本家)とカウン(分家)

では、実際にカンパの継承はどのように行われていくのか。上述したように、カンパは息子がいない場合には娘夫婦によって継承されるが、息子夫婦による継承が原則となっていた。しかも、カンパを継承するのは長男であることが基本型といえるが、長男が出家することもあり、必ずしも理念通りには行われていない。カンパの継承は、跡取りとなる息子の結婚と同時ではなく、両親が年をとってから、自分たちが暮らしていけるだけの畑と家畜を残し、他の財産をすべて「カンチェン(khang chen ＝本家)[19]」として息子家族に譲り、「カウン／カンチュン(kha un／khang chung＝分家)[20]」に移り住むかたちで行われる。カンチェンとカウンの間で正式に畑などの財産の分割をした場合には、日本の本家と分家のように、カウンは村の中の一つの社会単位として認知された[山田 2009: 57]。

1980年代に、村のカンパの屋号としてティラ・カンチェンとティラ・カウンというように、カンチェン、カウンという語尾をつけて区別される例を目にしたが、カウンの構成メンバーをみていくと、両親が息子夫婦あるいは娘夫婦に家督を譲ってカウンに移り住むというカウン形成の伝統的な理念型と呼べるような例は、むしろ少数派であった。実際には、①長男以外の息子たちが別個の家族を作ってカウンを名乗る例、②娘たちがそれぞれ婿を取って一方がカウン

---

[19] “khang pa cheng mo”(「家・大きい」)の省略形。

[20] “khang chung”は“khang pa chung wa”(「家・小さい」)の省略形。一般に両親の隠居所とみなされる[Jäschke 1998 [1881]:38]。kha un も省略した言い方のようで、“kha”は“khang pa”を、“un”は“chung wa”をさすとされる。

▲**写真9　誕生祝いのパン**
子供の誕生祝いとして焼くヒツジの形をしたパン。受け取った産家では、梁の上に飾っておく

◀**写真8　オオムギ料理の調理**
伝統的オオムギ料理「マルザン」を作るラダッキ女性

に住む例、③娘に婿を取った後にその娘のキョウダイである息子に嫁を迎えて娘夫婦がカウンに移り住んだ例、④完全に新しいカンパの成立となるものなど、その実態は多様であった。

カウン形成のなかで最も多く認められた事例は、娘が息子よりも年長であることが多いが、娘にマクパを迎え、その娘のキョウダイである息子の結婚を機に、娘夫婦がカウンを形成するというものであった［山田 2009：59-63］。娘夫婦が公式にカウンを構成するにあたっては、土地などの財産がカンチェンとカウンの間で分割されることが多い。なかには息子に嫁を迎えた後で、娘に婿を迎えてカウンに住まわせる例もあった。また、息子の間でカンチェンとカウンとを分け合うという例もあったが、これは兄弟での妻の共有という婚姻形態をやめて、それぞれが妻を迎えてカンパを構えるという住み分けによるものであった。

カンチェンとカウンの形成によるカンパという「つながり」の継承過程は多様性に富み、カンパ内での労働力の優先的確保がその背景の一つとなってきたといえる。他方、後に述べるように、1980年代後半にはインド独立後の伝統的婚姻規定や社会制度の変化を背景とするものもみられるようになってきた。

## 父方・母方という血縁の「つながり」―― 通過儀礼を支える親族・姻族

ラダッキにとって伝統的家族を超えた「つながり」の第一は、親族、姻族ということができる。上述したように、ラダッキ社会ではカンパという家を社会的

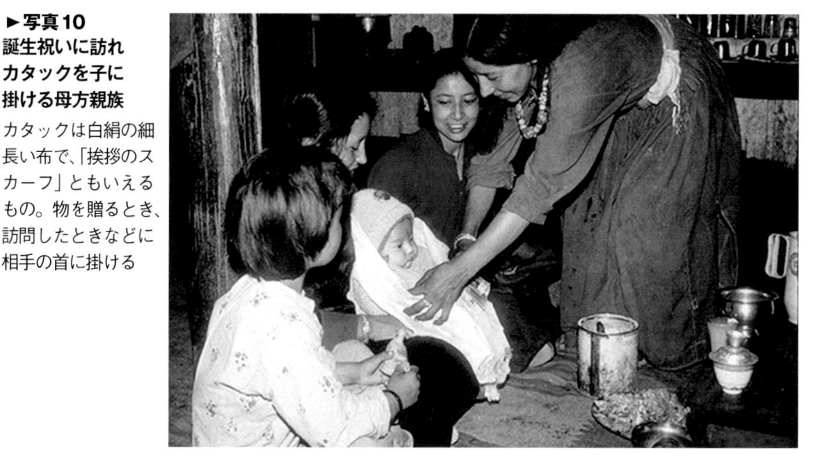

**►写真10**
**誕生祝いに訪れカタックを子に掛ける母方親族**
カタックは白絹の細長い布で、「挨拶のスカーフ」ともいえるもの。物を贈るとき、訪問したときなどに相手の首に掛ける

単位とし、一世代一婚姻という婚姻規定のもと一妻多夫婚あるいは一夫多妻婚が慣行とされた。このため、カンパは直系家族集団となり、カンパにとっての親族・姻族というつながりは、婚姻をとおしてつながる母（妻）方親族（マ・ニェン）、父（夫）の姉妹の婚姻でつながる父方親族（パ・ニェン）ということになる。

これらのつながりは、人の誕生に始まる通過儀礼の各段階において重要な役割を果たすことが知られる。たとえば、子供の誕生にあたっては、近い母方親族の女性は、生後７日目にマルザン[21]と呼ばれるオオムギ料理（写真８）、コメ、バター、ヒツジの形に焼いたパン（写真９）などを持って、それぞれ産婦を訪問する［山田 2009: 66］。誕生から１か月後には、産児の母方の祖母らがオオムギ粉を持参し、産家の台所でマルザンを料理して提供する儀礼が行われたという［Kaul & Kaul 1992: 148］。

結婚式にあたっては、花婿の母の兄弟である「アジャン」、花嫁の父の姉妹である「アネ」が重要な役割を果たす。家族の死にあたっては、後述するようにパスプン・メンバーが親族に代わって葬儀を取り仕切るが、親族は火葬までの死者への一連の読経儀式の間に訪問し、喪家に対して哀悼の意を表す。近い親族であれば、読経儀式を行う僧侶たちに支払われる何日分かの読経費用を負担するという［Kaul & Kaul 1992: 149］。

ラダッキは、一次的につながる父方、母方の親族ばかりではなく、二次的につ

[21] 栄養価が高く出産後の食となる。本シリーズ第２巻『食からみる世界』53ページ参照。

◀写真11
**結婚式の様子①**
花嫁の持参目録「ズギック」が読み上げられる。一つずつ品物が読み上げられるたびに、参加する村人は「ジュジュ（ありがとう）」と応える。離婚の際には、「ズギック」にもとづき持参財が妻側に返される

◀写真12
**結婚式の様子②**
花婿側の結婚式の祝宴で「ズギック」が読み上げられた後、村人は一人ずつ祝福のカタック（白い絹布）と祝儀を花婿、花嫁、花婿の両親、介添え役に手渡す

◀写真13
**結婚式の様子③**
村人から渡されたカタックに包まれた花婿、花嫁、花婿の両親。最後に彼らに花婿の介添え役、兄弟らが加わり、一列となって参加する村人たちの間を踊りながら廻り、「ジュジュ」とお礼を述べて祝宴の終了となる

ながる遠い関係も含めて親族とする。前者のつながりを「近い親族」、後者を「遠い親族」として区別し、その関係性に応じて相互交流を維持する。個人にとっての母の実家、父の姉妹の嫁ぎ先は、日常的な行き来があるが、カンパという家族集団にとって、とくに近い親族として通過儀礼の際に重要な社会的役割を果たす、欠かせない「つながり」となる。

### 「パスプン」という信仰による「つながり」―― 祀る神を共通に見守りあう

家族・カンパを超えて形成される次に重要なつながりは、「パスプン」という社会集団組織への帰属によるものである。これは先述したように、パス・ラーと呼ばれる共通の祀る神をもつ信仰縁とも呼べるもので、パスプン集団の中心となるカンパには、家屋の屋上にパス・ラーを祀るラトー[22]が築かれる［山田 2009：55-68］。ロサル（正月）の時期には、パスプンのすべてのメンバーがこの家に集まり、ラトーを組んでいる束ねられた灌木を取り替えて新しくする。

パスプンは近い親族であり、パスプン・メンバー内では結婚はできないだけでなく、同じパスプンに属する少年少女は互いに性的な会話を交わすことができないと語る村人もいる。仏教徒ラダッキの間では一般に、パスプンは外婚単位となるが、女性は結婚によって、自分の生家のパスプンから夫のパスプンへとメンバーシップを換えることになっている。パスプンへの帰属は、この点で日本の「イエ」制度と共通する一方、母系社会、父系社会という単系出自社会とは異なるものとなっている。

パスプンのメンバーは、結婚式の準備に奔走し、花嫁迎えの使者の役割も果たすというように結婚式にも欠かせないが、彼らの最も重要な役割は、死の知らせを受けてから火葬、四十九日の法要までの一連の葬儀への喪家に代わっての関わりである[23]。また、ロサルには、ラトーの灌木を取り替えるだけではなく、シミと呼ばれる祖先供養を行う。パスプン・メンバーは火葬場のロカン（石棺）に集まり、パパ（オオムギの料理）、一瓶のチャン（オオムギの酒）、一塊の茶、ロウソクなどを先祖に供えるとともに共食する。パスプン・メンバーは、家族に代わって

---

[22] ラーの依り代となる杜松などの灌木を束ねて組み込んだ石積の社。本シリーズ第５巻『弔いにみる世界の死生観』60ページ参照。

[23] 葬儀の詳細については本シリーズ第５巻『弔いにみる世界の死生観』55～61ページ参照。

葬儀を取り仕切るとともに、共に祖先供養を行う仲間となる。

さらに、パスプン・メンバーは、子供の誕生にあたっても重要な役割を果たす。出産は「穢れ」とみなされており、産婦はいわゆる「別火」で日々を過ごすことになっている。1980年代には、母親は１か月間、父親は７日間というように、その期間は短縮されてはいたが、かつては赤子の両親はともに１か月間家から出られなかったといわれ、この期間、パスプン・メンバーは両親の日々の家事、畑仕事を担っていた。

以上のように、パスプン組織は共通のラーへの信仰と儀礼実践のみではなく、葬儀や出産という「穢れ」の時期に、当人の家族に代わって日常的活動を担う存在として、重要な役割を果たしてきた。この「つながり」は、祀る神を共通とし、出産、結婚式、葬儀、祖先供養という重要な通過儀礼において共同性が顕在化するものであり、共通の神への信仰を基盤に家族を見守りあうものということができる。

### 隣人という地縁の「つながり」——生業活動を協力して支えあう

農耕、牧畜という生計活動における共同作業では、パスプン・メンバーシップが機能することはなく、むしろ隣人同士の「結（ゆい）」といえる労働交換の関係が大きな役割を担う。たとえば、オオムギ、コムギ栽培の一連の農作業をみると、毎春の家畜を利用した畑の鋤き返しや収穫後の脱穀作業における畜力利用では、数が足りない大型家畜を隣人同士で互いに貸し借りしあっていた（写真14）。踏まれて脱穀されたムギを穀粒と茎とにより分ける風選作業では、互いに労働交換しあって作業を進めていた［山田　2017：42-43］。さらに、ムギ類やソバなどの穀類の製粉にあたっては、共同の水車小屋の碾き臼が利用され、隣人同士で使用の調整、水車小屋の維持・管理が行われていた。

農耕と牧畜とで生計を成り立たせる村は、たいてい村から離れた山地にコミュニティで共同利用する夏の牧場をもち、家畜はムギ類の収穫が終わるまでこの牧場で管理される。家畜の所有頭数が多ければ、一つの家族（経済単位としてのカンパ）内で村と牧場とに住み分けしながら家畜の世話をするが、夏の牧場では、２～３家族が一緒になって小屋に住み、家畜を世話しながら暮らす例も多い。また、頭数の少ない家々では、他の家族に夏の間の家畜の世話を委託する

**▶写真14**
**畜力を利用したムギの脱穀作業**
ゾーやゾモなどの大型家畜を貸し借りして、ムギの穂が十分にやわらかくなるまで踏ませることで脱穀する

という協力関係もみられる。隣人という地縁的「つながり」もまた、生業活動のなかでの協力しあう不可欠な関係となる。

## コミュニティという村の「つながり」と共同性

ラダッキ社会において村という一つのコミュニティは、人々の生活をほぼ完結させられる社会生態的まとまりとなってきた。村というまとまりを象徴するものとして、仏堂とユッラー(村のラー)という村人を見守る神の存在をあげることができる。村はどこかの大僧院の「檀家」となっており、ラマ(僧侶)は仏堂に常駐あるいは僧院からの定期的な訪問というかたちをとりながら、村人たちのために必要な仏教儀礼を実施する。また、どの村でも村を一望できる丘の頂にはユッラーのラトー(社)が鎮座するのをみることができる。毎年の村のラトーの灌木の取り替えは村をあげての重要な行事となる。さらに、オオムギの初穂儀礼となるシュップ・ラーは村をあげての祝いの行事となる。下手ラダック地方[24]の村における「大きいシュップ・ラー」では、村人がかつて村の小領主であった家の前に正装して集まってチャンをふるまわれた後、互いの家を訪問しあったという。初穂祝いはコミュニティの祭りとして楽しまれてきたのである。

また、結婚式はコミュニティの重要な社会的行事の一つでもあった。結婚式

---

[24] ラダック地方は、レーを中心としてインダス川上流に向かってウプシ、サクティ、ギャまでを「上手ラダック」あるいは「中央ラダック」と呼ぶのに対し、インダス川下流域のニェモからカラツェ、スキルブッチャンなどの地域を「下手ラダック地方」と呼ぶ。

はどの社会でも「大人」への通過儀礼として大きな意味をもつ。ラダッキ社会においても例外ではなく、両親の思惑によって取り決められた結婚式は、共同体の行事として村人全員の参加を前提として、生業活動が休止となる冬場に行われてきた。村人を招待することによって公式に承認され、新郎新婦は共同体の新たな一員として祝福されることとなっていた。このため、結婚式は花嫁の家における祝宴に始まり、花婿の家ですべてが終わるまで、3日間以上続く盛大な儀式となった。パスプン・メンバーが手伝いに駆けつけるだけではなく、村役も祝宴の準備に奔走する。結婚式のすべての儀式を終えると、新郎側は新婦の生家にとってボメニャン(娘の親族)となり、新婦はナマ(嫁)と呼ばれ婚家の一員と認められる。

▲**写真15　ムギ畑への給水**
年間降水量が少ないラダックでは、日本の棚田のような段々畑が一般的で、高低差を利用した灌漑水路による畑への定期的給水が欠かせない

結婚式は個人の通過儀礼というだけではなく、花婿の属する村という共同体に祝福され承認を受ける社会的儀礼であったことが分かる。とくに新婦にとって、嫁入りした村コミュニティの一員として承認される場という重要な意味をもっていた。ただし近年では、結婚式は共同体あげての儀式という性格も薄れ、友人、親族の間でと簡素化され、季節も冬場よりもむしろ夏場に行われるようになるという変化がみられる。

ところで、年間降水量が少ないラダック地方における農耕は、灌漑水路を利用した畑地への給水なくしては維持できないという環境条件のもとにある(写真15)。このため、村というコミュニティの共同性は、主要生計活動の一つである農耕のために必須となる灌漑水路の建設、維持・管理に不可欠であった。灌漑水路の畑地への給水利用にあたっては、村コミュニティはカンパ間の社会的調整という重要な役割を担う母体となってきた。毎春の村の寄り合いでは、畑地への給水割り当ての順番と時間が、厳格に平等性を原理として決められ、違反者は厳しく制裁されてきた。また村のコミュニティは、村内で起こる家畜の畑地への侵入やリンゴ、アンズ、ヤナギといった苗木への食害など、村人同士で紛糾するもめ事を解決する母体となる。

最後に、コミュニティの「つながり」を考えるうえで、ラダッキの村の生活で気づかされた点に触れておきたい。筆者が1980年代末に調査地の村で息子と生活を共にしたとき、彼が村の子供たちと村内の思いもかけない場所を自由に歩き回っていたことに気づき、驚かされたことがあった。子供たちは家族だけではなく村人の誰にでも見守られ、村中をあたかも出入り自由、縦横無尽に動き回って大人たちに接し、村の生活を肌で、いわば経験知として学んでいた。村のコミュニティは、次世代を担う子供たちを、家族であるかどうかを超えて誰もが陰ながら見守るという役割を果たしていたのである。2017年に二十数年ぶりに訪れた村では、出会った女性からまず息子の消息を尋ねられた。彼女は息子が遊びまわっていたことをよく覚えてくれていた。人と人とのふれあいは記憶にとどまり、いつでも鮮明に蘇ってくることを改めて思い知らされた。

## 4 ラダッキ社会における現代化と「つながり」の変容

### 現代化と観光地化の進展――生業形態と経済活動の変化

インドの独立後、政府による地域開発が進むなかで、ラダッキ社会ではグローバルな商品経済、貨幣経済の急速な波及を受けながら、伝統的なコミュニティの変容が進んできた。たとえば、政府主導のもと、チベット国境警備隊への男性の雇用、学校教育の充実、飲料水の整備、電力供給のためのスタクナ水力発電所の建設、レー～スリナガル間道路の開通、レー～マナリ間道路の開通、新たな灌漑水路の建設など、雇用、教育、インフラの整備と地域開発が進められた。インフラの整備は、パキスタンとの停戦ライン上にあるというラダック地方の国家戦略上の意味があるが、観光産業を推進させる原動力ともなってきた。とくに、1974年の外国人観光客への入域開放はレー～スリナガル間の道路開通と重なり、それ以降、観光地化を一挙に進めてきた。

1980～81年には観光客増加の第一のピークがもたらされ、当時はまだトレッキングが主体の観光ではあったが、観光シーズンとなる夏季にはラダックの人口の11.5%に及ぶ約15,000人が訪れるまでとなっていた[25]。かつての交易活動

[25] 山田［2009：173］の表5-1、van Beek［1996：185］、Kachroo et al.［1977：7］、ジャム・カシミール州公式ウェブサイト〈http://jammukashimir.nic.in/profile/leh.htm 2002/06/26〉を参照。

にとって代わり、トレッキングの案内人や荷物運搬といった仕事は大きな経済的利益をもたらすことになり、観光産業への従事は、自給自足的生計経済から貨幣経済への転換を推し進めていった。

インド独立後、ラダック地方がジャム・カシミール州のムスリム・カシミール政府の管轄下におかれたことにより、それ以前には平和的に共存してきた仏教徒とムスリムとの間で宗教的対立と衝突がたびたび起きてきた。1989年7月の仏教徒とムスリムとの最後となった暴力的衝突により、1990年、1991年には観光客が激減している。暴力的衝突は、1989年10月にはラダッキの「指定部族」地位の獲得、1995年にはラダック地方における「1995ラダック自治山麓開発議会法」の制定をみるというように、ラダッキ社会に一定の政治的成果をもたらした。このような経緯を経て、仏教徒とムスリムとの平和的共存体制のもと、この地域の観光地化と地域開発政策がさらに推進されてきた[26]。

実際、1989年から2002年におけるラダッキ社会では、観光地化がその後より一層の産業発展へと進み［山田 2009：173］、飛行機便の増発や道路の改良も進められてきた。2003年には、9月までに26,000人が訪れており、レーの市内には旅行代理店、ゲストハウス、ホテル、タクシーが急増していたのを目の当たりにした。当時、急増した観光客に合わせてさまざまな消費文化が流入し、ジャム・カシミール州の夏の州都スリナガルからはコメ、小麦粉、砂糖、灯油などの物資が大量にもたらされていた。また、高等教育を受けた青年層も急増し、彼らに「仕事」を供給できる発展が新たな課題となるなかで、青年たちがさまざまなNGO活動の担い手となっていた。

観光地化の進展により、とくに中心地レー地域では、ムギ類の栽培を放棄し、観光客の食糧を賄うための換金作物の栽培やホテル経営への転換が進んできた。2017年8月には、レー市域において一層都市化が進み、中心地のバザール（商店街）も整備され（写真16）、これを外れた地域にかつて広がっていたムギ畑は消え、ゲストハウスやホテルが立ち並んでいた。また、作物増産のために、従来の堆肥利用から政府の奨励する化学肥料や駆虫剤の使用が進められてきたが、化学

[26] 2019年8月6日に、インドのモディ首相は、ジャム・カシミール州の自治権をはく奪し、ラダックを連邦直轄領とする改正案を成立させている（朝日新聞デジタル、2019年8月7日「インド、カシミール自治権撤廃　パキスタン・中国は反発」）。このため、今後のラダックの政治情勢は流動すると考えられる。

**▶写真 16**
**レーのまち**
旅行代理店や土産物屋が立ち並ぶレーのバザール。車が行き交っていた中心道路は、観光の目玉として中央に花壇が設置された歩行者道路に整備された

肥料の使用や夏場の観光客による人口急増は、上下水道が十分に整備されていないラダック地方にとって、深刻な飲料水汚染の問題を引き起こすことにもなり、持続可能な開発が関心を集めるようにもなってきた。

### 消える「つながり」と残る「つながり」

以上に述べた、インド独立という体制転換、その後に進んだ自給的農耕からの転換、観光地化の進展という経済生活の変化は、家族形態や伝統的な村コミュニティにおける自立性や共同性に大きな影響を与えてきた。まず、一妻多夫婚の法的禁止と長子相続権の廃止という新たな制度の導入が進み、伝統的婚姻制度に法的制限が加えられた。1941年にすでに、当時のジャム・カシミール藩王国により一妻多夫婚が法的に禁止されたが、インド独立後の1954年10月9日に、政府によって“The Special Marriage Act, 1954”が制定され、施行されたこと[27]により、公式には一妻多夫婚、一夫多妻婚には罰則が科せられることになった。この法的整備のもとで、経済的に可能であれば一妻多夫婚の解消が進み、1980年代には「一妻多夫婚は恥ずかしい慣習である」と語る人も少なくなく、家族構成にも変化が生じてきた。

---

[27] 多民族、多宗教国家であるインドにおいては、伝統的に宗教、民族ごとに慣習的家族法が守られてきた。しかし、1954年には、インドのすべての国民に共通の家族法の施行を目指して、“The Special Marriage Act, 1954”が制定された〈http://www.sudhirlaw.com/SMA54.htm　2008/07/13〉。ただし、この結婚特別法は実際にはあまり機能していないともいわれる〈http://www.law.emory.edu/ifl/legal/india.htm　2008/07/13〉。

◀写真17
ラダッキの「つながり」①
夏の一日を親しい仲間や隣人などと野原で過ごすピクニックはラダッキの楽しみの一つ。この日は他州の都市で暮らす新婚夫婦の帰郷にあわせて、新婦の母方・父方の親族が集まって、ピクニックを楽しんでいた

新たな婚姻・相続制度の導入は、経済構造の変化も重なり、カンチェン、カウンへの分割、一夫一妻婚の普及というように、家族・結婚形態を変化させてきた。さらにインド独立後に増加したラダッキ・ムスリムの間では、イスラームのシャリーア（クルアーンにもとづくイスラーム法）により一妻多夫婚は認められないこと[28]もあり、一夫一妻婚が一般的となる。かつての一世代一婚姻という形態から、息子たち、娘たちがそれぞれ結婚する形態へと変わっていくこととなった。ただし、カンパを引き継いだ直系家族とその他の息子たち・娘たちの家族とは、最も近い親族の「つながり」として緊密な関係が維持されてきた。

インドの独立とその後に進んだ観光地化による最も大きなラダッキ社会の変化は、農耕・牧畜という生業における労働交換や相互扶助システムの慣習が弱体化させられたことである。上述したように、2000年代初めには、レー市街地近郊においてはムギ類の栽培が放棄され、野菜栽培やホテル経営への転換が進み、農作業はほとんどネパールや他州からの季節労働者に任せるようになっていた。コミュニティ内で調整されてきた共同作業への参加も、人手ではなく現金での貢献ですませる家が多くなる。生計という経済的な意味でのコミュニティ内の共同性が弱まる一方で、家族、親族間での「つながり」はより大きな意味をもつようになる（写真17）。

[28] 1937年には、“The Muslim Personal Law (Shariat) Application Act 1937”が、ジャム・カシミール州を除くインドのムスリムを対象とする家族法として制定されている〈http://nrcw.nic.in/shared/sublinkimages/60.htm　2008/07/13〉。

**▶写真18**
**ラダッキの**
**「つながり」②**
毎月のツェチュウの日に、村創立時からの旧家であるカンパが回り持ちで、一軒の家に集まって読経と共食をしている。年々、参加できるカンパが少なくなってきてはいるが、コミュニティの行事として都合がつけば駆けつけるという

実際に、働き手不足とともにムギ類の脱穀・風選作業は機械化が進み、共同作業は必要とされず、家族内で専門業者に任せて処理できる作業となった。水車小屋の碾き臼を使用しての主食となる穀類の製粉も専門業者に任せる機械製粉へと転換された。機械の導入は労力の減少に効果があったとはいえ、機械でぶつ切りされて鋭い切り口が残ったままの茎は餌として食べた家畜の内臓に刺さりやすく、飼料に適さなくなっていた。このため、新たに干し草の購入が必要になったという。また、機械製粉されたオオムギ粉で作ったツァンパ（オオムギ粉の練粉）は、水車小屋で挽かれた粉のツァンパのようにはおいしくないと、ラダッキは味の変化を語る。

このように、畑の開墾、脱穀での家畜の利用、風選後に残ったムギ類の茎の上質な飼料としての利用、水力を利用しての製粉という、自然の力、牧畜、農耕が有機的に循環した伝統的生計システムは大きく変容する。生計維持活動が家族内あるいは「近い親族」内での労働活動で賄われ、コミュニティの共同性という「つながり」の意義は経済的側面では弱体化されてきた。

しかし、その一方で、ロサルにはパスプン・メンバーが火葬場に集って祖先供養を行うことは続けられ、毎月の「ツェチュウ」（チベット暦10日の意）というグル・リンポチェ（パドマサンババァ）㉙をしのぶ仏教儀礼の日には、村人は回り持ちで一

㉙チベット仏教ニンマ派の開祖で、チベットに最初に仏教の教えをもたらした僧。サムイエー寺院を建立。

軒のカンパに集まってグル・リンポチェの経を読経し、終了後には伝統的麺料理トゥッパがふるまわれ、会食して過ごすことが維持される。また、村によっては、途絶えがちであったシュップ・ラーというオオムギの初穂儀礼が村の行事として大々的に復興され、村としての共同性を保つ活動が別のかたち、つまり村の伝統あるいは村への帰属意識の維持というかたちで生まれている。

さらに、コミュニティあるいはコミュニティを超える宗教行事をラダッキが実践するのを目にすることができる。仏教徒であればダライ・ラマや高僧による講話、灌頂儀礼や年間の決まった読経儀礼に、地域やコミュニティを超えて多くの人々が参集する。ムスリムであればモスクでの金曜礼拝に始まり、イード・アル＝アドハー（犠牲祭）、イード・アル＝フィトル（断食明けの祭り）の二大祭礼を、コミュニティとしても、コミュニティを超えても共に祝う。ラダッキにおいて、宗教実践をとおした家族・親族を超える「つながり」、信仰縁と呼べるものは現在でも生き続けるのをみることができる。

### ラダッキ社会の変容からの示唆――信仰を基軸に維持される「つながり」

各地の民族誌や文化人類学研究からは、どの社会でも人々は、家族、血縁関係にもとづく親族集団と、地縁関係が軸となる村コミュニティなど、多様な「つながり」のもとで生き、各社会がそれぞれの生態に合わせた「つながり」を作り上げてきたことがわかる。

ラダッキ社会の事例もまた、高標高、乾燥地帯という環境条件のもとで農耕・牧畜および交易を基本的生計経済とするなかで、一妻多夫婚によって異なる生計手段についての家族内での調整が行われ、家族を超えるコミュニティの「つながり」は農耕・牧畜という生計活動を効率よく営むうえで欠かせない媒体となっていたことを示している。さらに、パスプンや村の「つながり」には、人の生死を共に分かち合うとともに、祖先あるいは村のラーを祀ることをとおして地域集団としてさまざまな艱難への対処を図るという機能をみることができる。また、近隣や村という地縁が、家族という枠を超えて子供たちを見守る役割を果たしてきたことも見逃すことはできない。

しかし、先に述べたように、インド独立後には、現代化とともに観光地化が進み、経済構造が大きく変動するなかで、家族、結婚、コミュニティの在り方は変容してきた。その変容の姿は、日本社会がかつて経験してきたコミュニティの変容と重なる部分も多い。村の生活を維持するために必要であった共同性の大半が、カンパそれぞれでやりくりされていくか、あるいは道路整備などのように行政機関によって担われていった。

その一方で、家族・親族間の密な関係は維持されるとともに、パスプン、コミュニティなどの「つながり」は、通過儀礼や仏教儀礼などをとおして、顔がみえる関係性のもと維持される。社会が変化するなかでも、個人的原理が優先する家（カンパ）や親族という「つながり」のみではなく、家族を超える村やパスプンという「つながり」もまた、平等性、互酬性を原理としながら、新たな意味を纏って生き続けている。ラダッキにとって、パスプンや村コミュニティは帰属意識の源泉でもあり、その「つながり」は信仰、宗教を基軸に連帯意識を育むものとして維持されている。

## 5 戦後日本社会の「つながり」の変化と現代における結び直し

戦後の日本社会において、人と人との「つながり」はどのような変化をたどってきたのか。その変化を振り返ってみることにしたい。たとえば、日本の農村社会では、祖父母、両親、子供たちといった３世代からなる家族——「直系家族」——が家族像の原型であった。直系家族で構成される「イエ（家）」は村における経済・社会活動の単位である世帯となり、その存続・維持が厳守された。「嫁人り」ということばが示すように、女性は結婚後には、「里」あるいは「実家」と呼ばれる生家から切り離されて、夫の「家（「イエ」）に入る」、つまり、異なる社会的単位（「イエ」）の構成員になった。ラダッキ社会と同じように、結婚により女性の帰属が変わっていた。

また、「イエ」は、農作業、家屋の建築・修理、屋根の葺き替えなどにおける「結（ゆい）」（労働交換）、水路・道路の整備などの集落を維持するためのさまざまな活動に共同参加する社会単位となってきた。「イエ」を超える協力関係は、ラダッキ社会でもみたように、「イエ」の存続にとって不可欠な関係性であり、平等で互酬的である連携をとおして村社会という地縁コミュニティの共同性が育まれ、維持されていた。

しかし、日本においても、とくに1960年代以降の高度成長政策の展開[30]は伝統的家族構造を大きく変える契機となった。たとえば、池田勇人内閣よる「国民所得倍増計画」は、社会資本の充実、石油・鉄鋼を中心とする重化学工業への転換などを掲げ、「全国総合開発計画」(一全総)のもと、工業整備特別地域、新産業都市を指定し、拠点開発を図ってきた。また、1961(昭和36)年の農業基本法のもとでの農業の構造改善は、大型農機具の導入による近代化を進め、それによって生じた余剰労働力を都市部の工業・産業界の担い手にさせるという道筋を推し進めてきた。

産業構造の転換は、たとえば東北地方から東京への「中学卒業後の集団就職」というように、兼業農家として長男が村に残る一方、次三男は工場労働者として大都市へ流出するという現象をもたらした。さらに、高等教育の浸透は、卒業後の雇用を契機とする都市への流出に拍車をかけてきた。農山村からはいわゆる「跡取り息子」の流出さえも進む一方、都市では農山村からの移住者により人口が急増してきた。

このような社会状況のなかで、1960年代には日本住宅公団による大都市近郊での住宅団地の建設が始まっている。両親に子供二人の核家族を想定した２Ｋや２ＤＫの間取りをもつ住宅団地の住戸は、大都市に生活する人々の間に新しい家族像を形成し、安田浩一が述べるように、両親との同居は好まず、子供たちは独立の世帯を構成するという現代の家族モデルを提供してきた[安田 2019:10-12]。高度成長とともに日本社会においても伝統的家族像が変容し、核家族化が進んできたといえるが、たとえば盆と正月休みにおける帰省ラッシュが毎年のニュースとなるように、離れて暮らす親と子供の家族がひとときの再会を楽しむとともに、故郷の人たちとの「つながり」もまた、顔を合わせるかたちで維持するのが恒例となっていた。

また、大規模住宅団地や新興住宅地では、たいてい自治会や町内会が設立される。自治会や町内会は、もちろん地域の行政機関の下部組織的な性格をもち、さまざまな行政機関からの情報を伝達する役割を担う。しかし、自治会や町内

---

[30] 国立公文書館の「高度成長の時代へ――1951-1972」に、政府による高度成長政策の展開が詳しくまとめられている〈http://www.archives.go.jp/exhibition/digital/high-growth/policy.html 2019.09.01〉。

会は、それまで見知らぬ者同士で、個人中心主義的になりがちな各戸の住人間に、共同的・互酬的関係にもとづく新たな「つながり」を構築するという役割も担う。新興住宅地ではいち早く町内会、自治会をとおした地域のコミュニティとしての「つながり」の構築、地域内での顔のみえる関係の構築が目指された。

一方、農山村から都市へのとどまることのない人口流出は、1980年代終わりごろには深刻な過疎化に直面する集落を生み出し、「限界集落」という概念が提唱されるまでとなる［大野　1991、2015］。その後には「地方消滅」という問題提起さえなされ、地方自治体における人口減少問題は日本社会全体に衝撃を与え、活発な議論がもたらされてきた［山下　2012；増田　2014；小田切　2014：1-14；増田・冨山 2015］。

地域社会の再生に向けて、コミュニティの問い直しは重要課題となり、各地の過疎集落においてコミュニティの再生が図られ［山下　2012；広井2009；久繁　2010］、地域や経済の再構築にむけた提言［広井 2013；山浦 2015］、新たな共同体デザインの提示［内山 2010、2012；山崎 2012］がされてきた。これらの試みが示すにように、希薄となってきたコミュニティの「つながり」を作り直す取り組みが各地で行われてきた。地方創成は政策上の課題ともなり、総務省は2009（平成21）年度から地域おこし協力隊の推進を決定し、そのための財政措置をとってきた［椎川・小田切・平井ほか 2015］。それぞれの過疎地域では、共同体の弱体化に直面し、それまで意識することも無かったコミュニティの「維持」にむけて新たな地域づくりに取り組む現状となっている。

移住の波が今日までとどまることがない大都市では、その契機もますます多様となり、移住者の大都市での生活拠点形成は、市中のアパートやマンションでの暮らしから、近郊の住宅団地、新興住宅地での暮らしまで多様となる。アパートやマンションでは、隣の住人との交流がない、ゴミ出しルールが守られない、テレビ等の音量が大きいなどを原因とするトラブルがニュースになるように、地域社会との地縁的「つながり」は希薄となり、個人中心主義的な暮らしとなることが多い。新興住宅地や大規模住宅団地においても、核家族化により若い世代の他出が進むなかで、高齢者世帯の孤立が進むなど、コミュニティの世代交代と維持がうまく進まないという新たな問題を抱える現状がみられる。

日本社会における戦後70余年の歴史は、結果として、大都市での個人主義化や社会的孤立、農山村の過疎化（限界集落化）を進めることになったともいえる。都市でも農村でも、モノの贈与と返礼という贈りあいは、かつては地域社会をつなぐ日本文化の一つの特徴でもあった［伊藤 2011］。しかし、大都市では、家族内でのまとまりだけを大切にし、地域コミュニティとの関係をほとんどもたない個人主義的な暮らしが広がるなかで、「町内会の負担は煩わしく、そんな組織はいらない」、「行政にすべてを任せればいい」という声が多くなる現状をみる。現代は「無縁社会」であるとさえいわれる事態に至っている［島田 2011］。しかも、社会的孤立や高齢化のなかで、誰にも看取られず孤独死し、発見が遅れてしまう人の数は年間３万人以上に及ぶという状況［菅野 2019: 7］は、改めて家族、親族、さらには地域コミュニティのつながりの意味を私たちに問いかけるものとなっている。

地域の暮らしでは、たとえば、ゴミの処理、防犯、防災、雪国であれば冬季間の除雪、子供たちの安全の見守りなど、財政上からもすべてを行政機関に任せきりで十分に処理できるものではない。むしろ、住民同士の「雪かき」の協働をとおして防災から地域づくりが進むという例もある［上村・筒井・沼野・小西 2018］。また、東日本大震災に被災した地域で、コミュニティとしてのまとまりが強く維持されていた町や村では復興が早く進んだともいわれる[31]。

今日、「地縁」の結び直しが話題になるのをみるように[32]、核家族化が進むことは止められないとしても、高齢化社会に突入するなかで、改めて「地縁」が問われ、かつて地域社会（コミュニティ）として支え合っていた「地縁」の再構築が模索され始めている。コミュニティの「つながり」は、高齢者支援という意味ばかりではなく、地震、台風、洪水などの災害時には、各地で住民同士が励ましあい、できることを協力しあうなど、重要な役割を果たしている。安全の見守り、生活上のさまざまな問題の処理は、行政だけに任せておけるものでもなく、互いに協力しあう関係性は地域住民の間には欠かせない。現代の日本社会においても、コミュニティ活動での顔のみえる往来をとおした、少なくとも信頼可能な関係にもとづく地縁的「つながり」の存在は必要とされるといえよう。

---

[31] 本シリーズ第３巻『祭りから読み解く世界』115ページを参照。

[32] 産経Web、2019年9月2日「【～から】地縁を結び直し、老いを支え合う東京・戸山ハイツの『あうねっと』」〈https://www.sankei.com/life/news/190902/lif1909020028-n1.html〉参照。

## 6 「つながり」の比較文化からの示唆――ふれあいが育む信頼

家族と家族を超える「つながり」を考えた時、最も大きな意味の一つは、親世代→子世代→孫世代へと、次世代に社会をつないでいく点にあろう。人間社会は、「家族」のみの関係性では存続・維持しえなかった。次世代へのさまざまな知識の引き継ぎには家族を超える「つながり」も必要となる。とくに、コミュニティの「つながり」は、集団としての知識――文化――を継承させる媒体となり、知識の共有はコミュニティへの帰属意識の源泉としてフィードバックされる。

たとえば、カナダのチペワイアン[33]の子供たちは、狩猟の仕方、道具の作り方を、親たちの世代のすることを傍で見ながら、見よう見まねで習得するという[34]。彼らは、身近な接触、顔のみえる関係性の積み重ねのなかで生活に必須の知識を学んでいく。彼らの文化の伝達には世代を超えて共に暮らすことが必須となっており、日々の生活を共にすることをとおしてチペワイアンであるという帰属意識もまた培われてきたとされる。

また、1970年代の西表島や鳩間島などの八重山諸島での調査で体験したことであるが、集落の人々は互いに子供たちを見守り育てるという関係性をもっていた。日本の村落社会をみても、もともと年中行事、「祭り」などをとおして次世代への地域文化の継承が自然に行われており、このような村の生活をリアルに体験することで子供たちは郷土意識、村への帰属意識を受け継いできたといえる[35]。しかし、日本社会が高度産業化社会に突入するとともに、子供たちは地域社会から分断され、家族内の関係に限定されがちとなってきた。かつて担われていたコミュニティの意味が見過ごされている、あるいはまったく感じられなくなっているともいえる。

本稿で取り上げたラダッキ社会の事例も、政治的・社会的変化のなかで、とくにコミュニティの「つながり」が変容したことを示し、コミュニティの意味は時代とともに変化することが分かる。しかし、ラダッキ社会では、コミュニ

---

[33] カナダのサスカッチュワン州北部の北方森林帯に暮らす先住民。本シリーズ第4巻『文化が織りなす世界の装い』35～36ページ参照。

[34] 煎本孝氏提供の情報。カナダの先住民では、寄宿学校制度の普及により、共に暮らすことのできなくなった子供たちへの伝統文化の伝達が難しくなっていったことが知られる。

[35] 本シリーズ第3巻『祭りから読み解く世界』を参照。

◀写真19
**チベット・カナダ文化センター**
トロント在住チベット人のオンタリオ州への最初の移住から36年後の2007年10月に、苦難を経て開所される。コミュニティ・センターの役割を担い、週末にはチベット語教室、チベット舞踊教室、チベット仏教教室が定期的に開かれ、チベット人が集い、賑わう

◀写真20
**トロント在住チベット人の結婚式**
チベット・カナダ文化センターは結婚式、コンサートなど各種の催しにも利用される。カム地方出身のチベット人の結婚式では、参列者もカム地方の伝統的な装いに身を包んで参加。参列者は一人ずつ新郎新婦に祝福の言葉を述べるために、カタックを持ち一列に並んで順番を待つ

◀写真21
**在日チベット人の「つながり」**
在日チベット人の多くが関東地方に分散して暮らしており、年に数回の集える機会は貴重なひとときとなる。4月の新宿御苑での食べ物を持ち寄って集う花見もその一つとなっている

ティを成立させていた共同性がまったく無くなったわけではなく、形を変えながら信仰や共食の場をとおして維持されている。さらには、コミュニティを超えたチベット仏教徒、イスラーム教徒という宗教を介した「つながり」もまた、折々の宗教活動をとおして保たれている。多宗教文化からなるラダッキ社会にあって、家族・親族を超える「つながり」は、ラダッキにとって「我々は何者なのか」という帰属意識の源泉として、また協働の源泉として大きな意味をもち続けているのである。

家族・親族を超える「つながり」が帰属意識の源泉として大きな意味をもつことは、世界に広がる移民・越境者集団の事例からも読み取ることができる［Yamada & Fujimoto 2016］。ホスト社会においてマイノリティとして暮らす彼らにとって、共有空間（「寄り合いの場」）の構築、つまり「つながり」の場の構築は、帰属意識や移住集団内の共同性を強化し、新たなコミュニティ意識を作り上げるものとなる。

たとえば、トロント在住チベット人も例外ではなく、ふれあいを可能とする共有空間を求めて、コミュニティ・センターの建設にこぎつけていた（写真19）。そこでは、カナダ人社会に生きながらのチベット語、チベット仏教など伝統文化の維持とチベット人としての帰属意識と共同性の維持が図られる［Yamada 2016］（写真20）。また、日本各地に分散して暮らす在日チベット人では、インターネット上というバーチャルな空間にコミュニティの場をもって情報発信する一方、年に数回は集って共食するといった「つながり」のリアルな関係性のもと、共同性が育まれ、帰属意識が維持される［Yamada 2017: 6-8］（写真21）。

トロントや日本に暮らすチベット人は、リアルあるいはバーチャルにかかわらずコミュニティ・センターを介した「つながり」をとおして、利他精神を含め、チベット仏教という宗教的・儀礼的価値を共有しながらコミュニティとしての共同性を維持し、マジョリティ社会のなかでマイノリティとして生きるチベット人として、安心と安全の確保を図っている。彼らはコミュニティの仲間との顔のみえる活動の場を作ることをとおして、共同性を育み、精神性──共通の価値──の共有、世代を超えた伝承を図っていることが分かる。

コミュニティの「つながり」を考えるにあたって、山極寿一が報告するゴリラの事例は興味深い。山極は、木の洞で一緒に雨宿りをして眠るほど心を開いてくれたタイタスという名のゴリラとの26年ぶりの再会で、シルバーバックという立派な大人になったタイタスが目を輝かせ、少年のような顔つきになり、共に雨宿りをした子供のころに戻ったかのような行動を示し、自分のことを思い出してくれたと報告している[山極 2014：68-72]。人間においても、五感を使うコミュニケーションで作り出される関係性は互いの信頼性の根源となり、いつまでも記憶に残るものである。家族や親族という血縁にもとづかないコミュニティの「つながり」では、とくに何らかのふれあいが互いの信頼性を築き上げ、コミュニティの一員としての連帯性を育むものとなるということができよう。

伝統社会における「つながり」の諸相をみてみると、「つながり」の時代を超えた不変の重要性と、それを維持するために各社会が払ってきた努力がみえる。本書の和崎聖日による論考が描写するウズベク人社会における守られるべき結婚をめぐる厳格なイスラームの規範は、家族と家族を超えるつながりの重要性を宗教の名のもとに改めて喚起するものといえる。結婚をとおした「つながり」の構築が、いかに社会の存続にとって重要であると考えられているのかを示している。また、藤本透子の論考で示されたカザフ人社会の事例では、遊牧による長距離の移動を基本としてきたカザフ人ならではの「つながり」の特徴が映し出される。定住化と都市への移住が進むという変化のなかでも、ルーツへの高い関心や、系譜継承と父系クランへの帰属意識、かなり昔の世代までの系譜認識にもとづく牧畜をめぐっての協働、人生儀礼（通過儀礼）やイスラームの祭日等での共食などを結節点とする家族を超える広範な「つながり」の維持をみることができる。カザフ人たちもまた、世代を超える広範な「つながり」の仕組みを柔軟に生活の変化に適応させてきたことが分かる。

以上みてきたように、人間の社会では、家族の「つながり」のみではなく、親族、地域というように、さまざまなレベルでの「つながり」が、それぞれの社会生態的条件にうまく合わせながら形成されてきた。しかも人間社会は、「つながり」が有機的に機能するための装置として、顔と顔を合わせられる場や機会を設け、互いの信頼性を作り上げてきたことが分かる。「つながり」の比較文化学にもとづく分析は、家族・親族を超えるコミュニティという「つながり」が、火急の際には協力しあうという共同性・協働性のもと、新たなかたちをとるにしても、今後も重要な意味をもち続けることを示唆する。

## 7 ポスト・コロナ時代の「つながり」を読む――連帯、協働性、透明性

では、現代において家族や親族、これらを超える「つながり」の再生と維持を考えるとき、何が問われるだろうか。地域社会あるいはコミュニティの「つながり」が希薄となってきた背景の一つには、社会の変化のなかで、経済的な意味をも有していたコミュニティ内の共同性が薄れてきたことがある。また同時に「祭り」などでの共食の機会も減り、それまで育まれ共有されてきた利他の精神、あるいは平等で互酬的な精神が置き去りにされてきたということもできる。

本稿の考察推敲は、はじめにふれた新型コロナウイルス感染症の発生時期とほぼ重なってしまった。本稿のテーマである「つながり」の未来形を考えるうえで、新型コロナウイルスの感染拡大とそれへの対処に翻弄された数か月間の顛末は多くの示唆を与えるものである。最後のまとめとして、新型コロナウイルスの感染拡大に対する世界各地の人々の反応、生活の在り様を踏まえて、「つながり」の未来像についての考察を加えることにしたい。

2020年に入ってからの世界中を巻き込んだ感染の拡大は、数か月間にわたり私たち人間社会における人と人との関係性、日々の生活の在り方に大きな変化を余儀なくさせてきた。有効な治療薬がない現状では、新型コロナウイルス感染への有効な対策は、「人と人との接触」を避けることしかなく、第１節で述べたように、世界各地で国民、市民に対して密な接触を避ける“social distancing”が強制あるいは要請された。

多くの経済活動が世界各地で休止状態となり、どの国のGDPも未曽有の規模での減少をみることが予想されている。また私たちは、日本の産業界が想像以上に世界の分業体制のもとで成立することだけではなく、サービス業、第一次産業さえもインバウンドの大きな恩恵を得ていることを改めて知ることになった。世界経済そのものも、総生産量という経済規模、企業倒産というかたちで大打撃を受けるだけではなく、オフィスではテレワーク[36]、さまざまな分野

[36] テレワークとは、情報通信技術（ICT）を活用した、場所や時間にとらわれない柔軟な働き方のこと。「tele = 離れた所」と「work = 働く」をあわせた造語。働く場所によって、自宅利用型テレワーク（在宅勤務）、モバイルワーク、施設利用型テレワーク（サテライトオフィス勤務など）の３つに分類できる（一般社団法人テレワーク協会ホームページ〈https://japan-telework.or.jp/tw_about-2/　2020/05/16〉より）。

でのAI（artificial intelligence）、ICT（information and communication technology）の活用というように、産業構造そのものが大きく変わるのではないかと言われる。

また、人々の日々の生活という点では、各国で毎日の生活に必要な食料品などを扱う場合を除き、外出が制限され、"Stay home"、"social distancing" が新型コロナウイルス感染への対策となった。これによって、人々はこれまでに経験したことのない、家族を超える「つながり」に対して「社会的・空間的距離を遠ざける」という行動、つまり「つながり」の否定ともいえそうな対人距離を保つ生活を余儀なくされた。しかし、この数か月間の経過をみると、「密な接触回避」が叫ばれるなか、日本のみならず世界各地で、インターネットの駆使、あるいは夜間のメッセージを込めた点灯などをとおした「連帯」の表明など、新たな「つながり」の形態がこれまで以上に生み出されてきた。リアルなかたちでの接触を図りえないなかで、バーチャルな形態での連帯が作りだされてきたのである。

実際、日本のメディアでは、分断され孤立した生活に悲鳴を上げる家族の姿が報道される一方で、「『つながり』を生かした支援の輪が広がる東京の下町」という報道もされている[37]。そこでは、若者たちが料理の宅配支援を始めており、その取り組みに対して自転車店も協力し、配達のためにレンタサイクルを無料で貸し出す様子が映し出されていた。危機のなか、支援・協働というかたちで、地域コミュニティの新たな「つながり」が広がるのをみることができる。

さらに、「つながり」の断絶とグローバリズムの否定、さらには全体主義的武漢市封鎖に示されるような民主主義の否定に向かわせかねない危険性を孕む新型コロナ感染症のパンデミックに対し、警鐘も鳴らされてきた。たとえば、バイオ・テクノロジーとAIが駆使され、データ至上主義に乗っ取られそうな近未来の世界の到来に危惧を抱き、人類の新たな可能性を問おうとした『ホモ・デウス（上）（下）』［ハラリ 2018a；2018b］の著者である歴史家ユヴァル・ノア・ハラリもその一人である。彼はいち早く「つながり」の断絶、グローバリズム、民主主義の否定にも向かいかねないポスト・コロナの世界を見据え、新型コロナウイルスの感染に打ち勝つためには、むしろ家族、地域、国という範囲を超えての連帯と協働が不可欠であり、「連帯（solidarity）」、「協働（cooperation）」、「透明性」が重要

---

[37] 2020年5月12日のNHKニュースでの報道。

になると発信[38]していた。

新型コロナウイルス感染症のパンデミックの完全な収束はまだまだ先だとも、もしくは収束できずウイルスとの共存を強いられるともいわれるが、何らかの区切りがついたコロナ禍後の世界で、私たちの社会はどのようなかたちへと向かっていくのであろうか。とくに、人と人とを結びつけ、人間社会の根幹を支えてきた「つながり」はどのようなかたちへと歩みだすのであろうか。一つだけ明確なことは、コロナ禍後の世界でも、ユヴァル・ノア・ハラリのいうように、連帯、協働、そして情報の透明性に支えられた信頼を土台とする「つながり」なくしては、社会の安寧を期待できないということである。

生物学的な意味での種の保存という意味からも、人間社会は集団としての存続が必然的であり、ポスト・コロナの時代においてもこの点は変わらない。新型コロナウイルス感染拡大の危機のなかでも人々は、家族を超える「つながり」を求め、また「つながり」によってこの危機を乗り越えようとしてきたことは疑いない。チベット仏教では、「人はさまざまな『縁』によって生かされている」と説くが、ポスト・コロナの未来社会においても、家族のみではなく、家族・親族を超える「つながり」なくしては、人間社会は世代を超えて永続しえないであろう。「連帯」、「協働性」、「透明性」が核となる社会の構築というのは、平等性、互酬性にもとづく「つながり」からなる社会の構築と言い直すこともできる。

もちろん、ポスト・コロナの時代では、経済活動・構造の見直しが進み、ますますAIが駆使され、データ至上主義が蔓延る世界が出現するかもしれない。しかし、生き物はアルゴリズムではなく、生命現象はデータ処理でもなく、意思決定としてのみ理解できるものでもなく、意識は知能よりも重要である可能性は残されている［ハラリ 2018a；2018b］といえる。コロナ禍のなかで市井の人々の反応が示したように、顔と顔を合わせ、ふれあい、ときには共に食をとるなど、家

[38] Harari, Yuval Noah, 2020. "In the Battle Against Coronavirus, Humanity Lacks Leadership", Times, March 15, 2020 (https://times.com/5803225/yuval-noah-harari-coronavirus-humanity-leadership/); "Yuval Noah Harari: the world after coronavirus" Financial Times, March 20, 2020 (https://www.ft.com/content/19d90308-6858-11ea-a3c9-1fe6fedcca75); NHK ETV特集「緊急対談　パンデミックが変える世界～海外の知性が語る展望」2020年4月11日放送；朝日新聞デジタル、2020年4月15日「（インタビュー）ここが政治の分かれ道　新型コロナ　ユヴァル・ノア・ハラリさん」、「コロナ危機、ハラリ氏の視座『敵は心の中の悪魔』」。

族を超えるコミュニティ的「つながり」もまた希求され続けるであろう。

本論でみてきたように、人々の暮らしの変化のなかで「つながり」の在り様もまた変化する。このため、ポスト・コロナ時代における経済生活の変革に応じてインターネットを介した「つながり」の場もますます増えることが予想できる。しかし、生き物である人間にとって、同じ空気を吸う、肌と肌をふれあうといったリアルな感覚をとおした「つながり」への希求は消え去ることはないであろう。未来社会においてもなお、互酬性に根ざし、互いに次世代をも見守りあう家族を超えるリアルな「つながり」こそが互いの信頼性を育み、安心できる暮らしへの出発点となるといえる。

## 参考・参照文献


Hillery, George A. (1955) "Definitions of Community: Areas of Agreement." *Rural Sociology* 20(2): 111-123.

Jäschke, H.A. (1998 [1881]) *A Tibetan-English Dictionary*, Surrey: Curson Press.

Kaul, Shridhar & H.N. Kaul (1992) *Ladakh through the Ages: Towards a New Identity*. Third edition, New Delhi: Indus Publishing Co.

Kachroo, P., Bansi Lai Sapru & Uppeandra Dhar (1977) *Flora of Ladakh: An Ecological and Taxonomical Appraisal*, Dehra Dun: Bishen Singh, Mahendra Pal Singh.

Yamada, Takako (2016) "Leadership and Empathy in the Remaking of Communal Connectedness among Tibetans in Toronto." In: Yamada, Takako & Toko Fujimoto (eds.), *Migration and the Remaking of Ethnic/Micro-Regional Connectedness*, Senri Ethnological Studies no. 93, Suita, Osaka: National Museum of Ethnology, pp. 241-273.

——————— (2017) "Creating Networks and Sharing Communications through Digital Media: A Survival Strategy of Tibetans in Japan." *Kanazawa Seiryo University Bulletin of the Humanities*, 2 (1): 1-11.

Yamada, Takako & Toko Fujimoto (eds.) (2016) *Migration and the Remaking of Ethnic/Micro-Regional Connectedness*, Senri Ethnological Studies 93, Osaka: National Museum of Ethnology.

van Beek, Martijn (1996) *Identity Fetishism and the Art of Representation*. Ph.D. thesis, Ithaca, New York: Cornell University.

伊藤幹治（2011）『贈答の日本文化』東京：筑摩書房（筑摩選書）。

今西錦司（1961）「人間家族の起源――プライマトロジーの立場から」『民族學研究』25（3）：119-138。

内山節（2010）『共同体の基礎理論――自然と人間の基層から』東京：農山漁村文化協会。

――――（2012）『内山節のローカリズム原論――新しい共同体をデザインする』東京：農山漁村文化協会。

大野晃（1991）「山村の高齢化と限界集落――高知山村の実態を中心に」『経済』327：55-71。

――――（2015）『山・川・海の流域社会学――「山」の荒廃問題から「流域」の環境保全へ』京都：文理閣。

小田切徳美（2014）『農山村は消滅しない』東京：岩波書店（岩波新書）。

上村靖司、筒井一伸、沼野夏生、小西信義［編著］（2018）『雪かきで地域が育つ――防災からまちづくりへ』東京：コモンズ。

椎川忍、小田切徳美、平井太郎、一般財団法人地域活性化センター、一般社団法人移住・交流推進機構［編］（2015）『地域おこし協力隊――日本を元気にする60人の挑戦』京都：学芸出版社。

島田裕巳（2011）『人はひとりで死ぬ――「無縁社会」を生きるために』東京：NHK 出版（NHK 出版新書）。

菅野久美子（2019）『超孤独死社会――特殊清掃の現場をたどる』東京：毎日新聞出版。

ハラリ、ユヴァル・ノア（2018a）『ホモ・デウス――テクノロジーとサピエンスの未来（上）』東京：河出書房新社。

――――――――（2018b）『ホモ・デウス――テクノロジーとサピエンスの未来（下）』東京：河出書房新社。

久繁哲之介（2010）『地域再生の罠――なぜ市民と地方は豊かになれないのか？』東京：筑摩書房（ちくま選書）。

広井良典（2009）『コミュニティを問い直す――つながり・都市・日本社会の未来』東京：筑摩書房（ちくま選書）。

――――（2013）『人口減少社会という希望――コミュニティ経済の生成と地球倫理』東京：朝日新聞出版（朝日選書）。

マードック、G.P.（1978）『社会構造――核家族の社会人類学』内藤莞爾［監訳］、東京：新泉社。

増田寛也（2014）『地方消滅――東京一極集中が招く人口急減』東京：中央公論新社（中公新書）。

増田寛也・冨山和彦（2015）『地方消滅　創成戦略篇』東京：中央公論新社（中公新書）。

安田浩一（2019）『団地と移民――課題最先端「空間」の闘い』東京：角川書店。

山浦晴男（2015）『地域再生入門――寄りあいワークショップの力』東京：筑摩書房（ちくま新書）。

山極寿一（2014）『「サル化」する人間社会』東京：集英社インターナショナル。

――――（2015［1997］）『父という余分なもの――サルに探る文明の起源』東京：新潮社（新潮文庫）。

山崎亮（2012）『コミュニティデザインの時代——自分たちで「まち」をつくる』東京：中央公論新社（中公新書）。

山下祐介（2012）『限界集落の真実——過疎の村は消えるか？』東京:筑摩書房（ちくま新書）。

山田孝子（1984）「第15章 ニンドゥ族の住居と植物の世界」伊谷純一郎・米山俊直［編］『アフリカ文化の研究』京都：アカデミア出版会、621-670頁。

———（2009）『ラダック——西チベットにおける病いと治療の民族誌』京都：京都大学学術出版会。

———（2012）『南島の自然誌——変わりゆく人-植物関係』京都：昭和堂。

———（2017）「『食』の比較文化学にむけて——人-自然関係の人類史と民族誌から」山田孝子・小西賢吾［編］『食からみる世界』京都：英明企画編集、33-58頁。

———（2019）「人はなぜ弔うのか——「弔い」の宗教的・社会的意味の比較文化」小西賢吾・山田孝子［編］『弔いにみる世界の死生観』京都：英明企画編集、39-64頁。

レヴィ=ストロース、クロード（1977）『親族の基本構造（上）（下）』馬渕東一、田島節夫［監訳］、花崎皋平ほか［訳］、東京：番町書房。

# あとがき

このシリーズ「比較文化学への誘い」は、グローバルな視野を持った人材の育成をめざす「比較文化学」教育の入門書としての活用を考えて出版してきたものである。これまで人の暮らしを支える「食」、「祭り」、「装い」、「弔い」といった文化要素をテーマに、文化の共通性と多様性を観察し、異なる文化を持つ人びとと豊かに安全に暮らす道を考えてきた。第6巻となる本書では、人と人との「つながり」という社会・文化的要素をテーマに、集団生活を基本としてきた人間にとって、人と人とが「つながる」という社会性はどのような意味を持ってきたのか、あるいは今後も持ちうるのかについて比較文化学的な考察を試みた。

「つながり」をテーマとして選んだ背景には、日本社会において、結婚しない、家族をつくろうとしないといった「つながり」を持とうとしない人びとの増加が目につくようになった現状がある。このような事態を前にして、人間社会が築き上げてきた「つながり」という社会性を比較文化学的、人類学的に見直してみたいと考えるようになったことが、この企画の端緒である。

これを実現するための一歩として、2019年2月に、金沢星稜大学学会人文学部会・教養教育部会講演会「つながりの比較文化── 家族、コミュニティの起源・普遍性から未来を考える」を開催し、京都大学総長山極寿一氏の基調講演『ゴリラからみたAI社会』、パネルディスカッション『つながりの比較文化から考える日本の未来』をとおして、「つながり」について人類学的、比較文化学的視点からの議論を行った。本書はこの講演会での議論を発展させるかたちで編集を進めてきたものである。

本書の編集は、2020年に入ってからの新型コロナウイルスの感染拡大、2020年3月のWHOによるパンデミック宣言といった世界中を巻き込んだコロナ禍と同時進行となってしまった。このため、それまでの議論にコロナ禍とそれをめぐる各国の対応を踏まえての考察を追加するなど、軌道修正を行いながら編集を進めてきた。コロナ禍という誰もが経験していない感染症への対策が進む現状のなかで、改めて「つながり」という人と人との関係性を考えることができ、その重要性を浮かび上がらせることができたのではないかと思っている。

本書の出版は、山極寿一氏をはじめ藤本透子氏、和崎聖日氏、小西賢吾氏による寄稿と、座談会出席者による活発な議論なくしてはかなわなかった。また、論考、シリーズの企画からレイアウト、きめが細かく的確な編集など、英明企画編集株式会社の松下貴弘氏の尽力なくしてはできあがらなかったものである。この場を借りて諸氏に改めて感謝の意を表したい。

編者 **山田孝子**

## 写真クレジット

（　）内は撮影年を示す。

- ２ページ、113ページ右上、130ページ左上……©beeboys-Adobe Stock
- ３ページ、77ページ、79ページ……藤本透子（2016）
- ４ページ、９ページ左下……山極寿一（2006）
- ９ページ左上、25ページ右……山極寿一（1981）
- ９ページ左中央……安藤智恵子（2010）
- ９ページ右……山極寿一（1991）
- 16ページ左……山極寿一（2001）
- 16ページ右……山極寿一（2010）
- 36ページ左……©iStockphoto.com/KvitaJan
- 36ページ右……©iStockphoto.com/JESUS DEFUENSANTA
- 45ページ左上……©iStockphoto.com/LightFieldStudios
- 45ページ右上、53ページ……©Takahito Obara-Adobe Stock
- 45ページ左下……英明企画編集（2017）
- 45ページ右下、60ページ……©iStockphoto.com/Sasithorn Phuapankasemsuk
- 65ページ左上、74ページ、65ページ左下、73ページ２段目、３段目……藤本透子（2017）
- 65ページ右下、69ページ左……藤本透子（2004）
- 67ページ……藤本透子（2017）
- 69ページ右……藤本透子（2007）
- 73ページ１段目……藤本透子（2003）
- 76ページ……藤本透子（2013）
- 81ページ右下……小西賢吾（2018）
- 81ページ左上……©dav26-Adobe Stock
- 81ページ左下……©vadim_petrakov-Adobe Stock
- 88ページ……小西賢吾（2008）
- 95ページ左上……和崎聖日（2017）
- 95ページ左下……和崎聖日（2018）
- 95ページ右下……和崎聖日（2008）
- 113ページ左上、120ページ……©PACO COMO-Adobe Stock
- 113ページ左下、130ページ右下……©iStockphoto.com/Maksym Belchenko
- 113ページ右下……©iStockphoto.com/kazoka30
- 118ページ……坂井紀公子（2018）
- 130ページ右上……©Ekaterina-Adobe Stock
- 130ページ左下……©Sukjai Photo-Adobe Stock
- 137ページ左１段目、144ページ上・下……山田孝子（1977）
- 137ページ左２段目、148ページ３段目、152ページ１段目、２段目、３段目……煎本孝（1984）
- 137ページ左３段目、159ページ、161ページ、168ページ３段目……山田孝子（2017）
- 137ページ右下、148ページ１段目、２段目、150ページ左・右、151ページ、155ページ、156ページ……山田孝子（1989）
- 143ページ上・下……山田孝子（1976）
- 160ページ……山田孝子（1990）
- 168ページ１段目、２段目……山田孝子（2013）

# 索引

事項索引／地名・地域名・国名

## ●事項索引

さ/サ

た／タ

ま/マ



や/ヤ



ら/ラ

**●地名・地域名・国名**

## 編者·執筆者一覧

### ◆編者

**山田 孝子**（やまだ たかこ）
京都大学名誉教授

◉**専門**……人類学、比較文化学

◉**研究テーマ**……チベット系諸民族の宗教人類学的・民族誌的研究、琉球諸島・ミクロネシアの自然誌的研究、アイヌ研究、シャマニズム、文化復興、エスニシティ

◉**主な著書（論文）**

- 『アイヌの世界観——「ことば」から読む自然と宇宙』（講談社（講談社学術文庫）、2019年）
- *Migration and the Remaking of Ethnic/Micro-Regional Connectedness*（Senri Ethnological Studies no. 93、Toko Fujimotoとの共編著、Suita, Osaka: National Museum of Ethnology、2016年）
- 『南島の自然誌——変わりゆく人−植物関係』（昭和堂、2012年）
- 『ラダック——西チベットにおける病いと治療の民族誌』（京都大学学術出版会、2009年）
- *The World View of the Ainu: Nature and Cosmos Reading from Language*（London: Kegan Paul、2001年）
- *An Anthropology of Animism and Shamanism*（Bibliotheca Shamanistica, vol. 8, Budapest: Akadémiai Kiadó、1999年）

### ◆著者·座談会参加者（五十音順）

**小河 久志**（おがわ ひさし）
金沢星稜大学人文学部准教授

◉**専門**……文化人類学、東南アジア地域研究

◉**研究テーマ**……タイ・ムスリム社会の民族誌的研究、自然災害と社会・文化の関係

◉**主な著書（論文）**

- 『「正しい」イスラームをめぐるダイナミズム——タイ南部ムスリム村落の宗教民族誌』（大阪大学出版会、2016年）
- 『自然災害と社会・文化——タイのインド洋津波被災地をフィールドワーク』（風響社、2013年）
- 『グローバル支援の人類学——変貌するNGO・市民活動の現場から』（共著、昭和堂、2017年）
- 『東南アジア地域研究入門2 社会』（共著、慶応義塾大学出版会、2017年）

**桑野 萌**（くわの もえ）
金沢星稜大学人文学部講師

◉**専門**……哲学的人間学・比較宗教学

◉**研究テーマ**……東西の伝統思想からみる身体論、スペインと日本の比較思想研究

次ページに続く

◉主な著書（論文）

- 「ペドロ=ライン・エントラルゴの身体論を巡って――ペドロ・ライン=エントラルゴにおける心身の一体性とダイナミズム的宇宙論の思想的背景について」（『人体科学』22：74-81、2013年）
- 『身体の知――湯浅哲学の継承と展開』（黒木幹夫・鎌田東二・鮎澤聡［編著］、分担執筆、ビイングネットプレス、2015年）
- 『宗教改革と現代』（新教出版社編集部［編］、分担執筆、新教出版、2017年）
- 『身心変容のワザ～技法と伝承』（鎌田東二［編］、分担執筆、サンガ、2018年）

**小西 賢吾**（こにし けんご）
金沢星稜大学人文学部准教授

◉専門……文化人類学

◉研究テーマ……宗教実践からみる地域社会・共同体論。チベット、ボン教徒の民族誌的研究

◉主な著書（論文）

- 『四川チベットの宗教と地域社会――宗教復興後を生きぬくボン教徒の人類学的研究』（風響社、2015年）
- “Inter-regional relationships in the creation of the local Bon tradition: A case study of Amdo Sharkhog,” *Report of the Japanese Association for Tibetan Studies*（『日本チベット学会会報』60: 149–161、2014年）
- 「興奮を生み出し制御する――秋田県角館、曳山行事の存続のメカニズム」（『文化人類学』72(3): 303–325、2007年）

**坂井 紀公子**（さかい きくこ）
金沢星稜大学人文学部講師／京都大学アフリカ地域研究資料センター特任講師

◉専門……文化人類学、アフリカ地域研究

◉研究テーマ……ケニアにおける女性の商業活動と金融活動の文化人類学的研究、ウガンダ北部におけるてんかん性脳症患者と家族を支援するコミュニティー形成の医療人類学的研究、ウガンダ北部・紛争後社会のコミュニティー再生の文化人類学的研究

◉主な著書（論文）

- “Community Response to Nodding Syndrome in Northern Uganda”（In *Proceeding of International Symposium France-Japan Area Studies Forum*、共著、Center for African Area Studies、2018年）
- 「いちばでのルール形成 その１～３」（太田至［編著］『アフリカ紛争・共生データアーカイブ第２巻』pp.28-30、京都大学アフリカ地域研究資料センター、2015年）
- 「地方都市のマーケットと女性たち――野菜商ムエニさんの日常生活」（松田素二・津田みわ［編］『ケニアを知るための55章』pp. 257-261、明石書店、2012年）
- 「ソコはアツイ女の園――カニィニとの思い出」（松田素二・津田みわ［編著］『ケニアを知るための55章』pp.269-271、明石書店、2012年）
- 『マーケットに生きる女性たち――ケニアのマチャコス市における都市化と野菜商人の営業実践に関する研究』（松香堂、2012年）

**藤本 透子**（ふじもと とうこ）
国立民族学博物館准教授

◉専門……文化人類学

◉研究テーマ……カザフスタンにおける社会再編とイスラーム実践

◉主な著書（論文）

- 『よみがえる死者儀礼――現代カザフのイスラーム復興』（風響社、2011年）
- 『現代アジアの宗教――社会主義を経た地域を読む』（編著、春風社、2015年）
- 「社会再編のなかのイスラーム――地域社会における生き方の模索」宇山智彦・樋渡雅人編『現代中央アジア――政治・経済・社会』pp.209-230（日本評論社、2018年）

**山極 寿一**（やまぎわ じゅいち）
第26代京都大学総長

◉専門……人類学、霊長類学

◉研究テーマ……ゴリラの社会生態学、家族の起源と進化、人間社会の未来像

◉主な著書

- 『人類進化論』（裳華房、2008年）
- 『家族進化論』（東京大学出版会、2012年）
- 『「サル化」する人間社会』（集英社インターナショナル、2014年）
- 『ゴリラ［第2版］』（東京大学出版会、2015年）
- 『未来のルーシー――人間は動物にも植物にもなれる』（中沢新一との共著、青土社、2020年）
- 『スマホを捨てたい子どもたち――野生に学ぶ「未知の時代」の生き方』（ポプラ社、2020年）

**和崎 聖日**（わざき せいか）
中部大学人文学部講師

◉専門……人類学、中央アジア地域研究

◉研究テーマ……イスラーム、ジェンダー、スーフィズム

◉主な著書（論文）・訳書

- 「ポスト・ソヴィエト時代のウズベキスタンの『乞食』――都市下位文化におけるイスラームと共同性」（『文化人類学』71（4）: 458-482、2007年）
- 「ウズベク語におけるクルアーンの解釈と翻訳について」（〔ハサンハン・ヤフヤー・アブドゥルマジード著、木村暁と共編訳・注釈、序文は和崎聖日担当〕『日本中央アジア学会報』15: 23-52、2019年）
- 「旧ソ連ムスリムの結婚と離婚――ウズベキスタンの例」（長沢栄治［監修］、森田豊子・小野仁美［編］『結婚と離婚（イスラーム・ジェンダー・スタディーズ1）』東京：明石書店、2019年）

シリーズ 比較文化学への誘い6
人のつながりと世界の行方――コロナ後の縁を考える

発行日――2020年9月4日

編　著――山田孝子

発行者――松下貴弘
発行所――英明企画編集株式会社
〒604-8051 京都市中京区御幸町通船屋町367-208
電話 075-212-7235
https://www.eimei-information-design.com/

印刷・製本所―モリモト印刷株式会社


Published by Eimei Information Design, Inc.
Printed in Japan　ISBN 978-4-909151-06-3